P9-EJI-360

A FIRST GREEK READER

TO ACCOMPANY

A SHORT GRAMMAR OF ATTIC GREEK

BY

REV. FRANCIS M. CONNELL, S.J.

1953

ALLYN AND BACON

BOSTON NEW YORK CHICAGO

ATLANTA SAN FRANCISCO

PRINTED IN THE UNITED STATES OF AMERICA

PREFACE

The *First Greek Reader* is an attempt to make the student's approach to the study of Greek as simple and attractive as possible. The Exercises have been made very easy, in the hope that the learner will acquire a certain confidence in reading Greek and will come to feel the interest that confidence creates. Similarly, in the witticisms attributed to Hierocles, entitled *Simpletons*, the author has not hesitated to change the text of the original whenever it seemed desirable to do so in the interest of elementary classes. The story of the *Retreat of the Ten Thousand* consists of simplified extracts from the fourth book of the *Anabasis*.

The following points also simplify the work for both teacher and student:

First, the words used in each Exercise are taken for the most part from the practice list printed after the corresponding paradigm in Connell's *Short Grammar of Attic Greek;* but the student, as he advances, is led to have recourse more and more to the vocabulary at the end of the book for such additional words as he may be expected to identify.

Secondly, the English-Greek exercises are based upon the Greek-English text immediately preceding, so that constant review is afforded and no English-Greek vocabulary is required.

Thirdly, the Reading Lessons may be begun soon after taking up the verb. They illustrate progressively certain verb forms, a knowledge of which is taken for granted. Thus Sections 53 to 56 presuppose a familiarity with the present and imperfect indicative active of uncontracted ω-verbs and εἰμί; Sections 57 to 60, with the entire active voice of uncontracted ω-verbs; Sections 61 to 67, with the middle and passive voices of the same; Sections 68 to 70, with the regular contract verbs; and Sections 71 to 76, with the mute and liquid verbs and second tenses.

The few advanced verb forms occurring in the Reading Lessons are fully treated in the vocabulary so as to afford no difficulty to the beginner. Thus, in the first Reading Lesson, Section 53, the word ἐκράτησε appears; the student who may at this stage be acquainted with only the present and imperfect tenses need not be baffled, for he will find this form described and translated in its proper place in the vocabulary.

Acknowledgment must here be made to the B. Herder Company for permission to use Exercises 15, 24, 37, 53, and 59 of Kaegi's *Greek Exercise Book*, though the substance and language of these Exercises have been greatly simplified in their present form.

F. M. C.

AUGUST, 1920.

TABLE OF CONTENTS

PART I

EXERCISES

LESSON		PAGE
I.	Feminine Nouns of the First Declension	1
II.	Masculine Nouns of the First Declension	2
III.	Review of the First Declension	3
IV.	Second Declension	4
V.	First and Second Declensions	5
VI.	Third Declension. Mute and Liquid Stems	6
VII.	Third Declension. Stems in σ and Vowel Stems	8
VIII.	Adjectives of the First and Second Declensions	9
IX.	Adjectives of the Third Declension	11
X.	Adjectives of the First and Third Declensions	13
XI.	Comparison of Adjectives	15
XII.	The Personal and Demonstrative Pronouns, and αὐτός	16
XIII.	Interrogative, Indefinite, and Relative Pronouns	19
XIV.	Principal Parts of ω-Verbs	20
XV.	Active Voice of ω-Verbs	22

LESSON PAGE

XVI. Middle and Passive Voices of ω-Verbs . 24

XVII. Present and Imperfect of Contract Verbs 25

XVIII. Perfect and Pluperfect Middle of Mute and Liquid Verbs 27

XIX. The Second Tenses 28

PART II

READING LESSONS

The Persian Wars 30

The Helmet of Water 31

Iphigenia at Aulis 32

Simpletons 33

The Ring of Polycrates 34

The Outlaw 36

Arion 36

More Simpletons 37

The Retreat of the Ten Thousand 38

Vocabulary 47

A FIRST GREEK READER

A FIRST GREEK READER

PART I. EXERCISES

LESSON I

FEMININE NOUNS OF THE FIRST DECLENSION

GRAMMAR, §§ 25, 26, 27

Abstract nouns are often preceded by the article. Grammar, § 276, 2. A dependent word or phrase often stands between the article and its noun. Grammar, § 282.

ἐν, prep. w. dat., *in*.
ἐπί, prep. w. gen., dat., and acc. With gen., *on*; with dat., *on, near by*; with acc., *upon, against*.
καί, conj., *and*.

1. 1. οἰκίας. 2. λέαιναι. 3. ἄκανθα. 4. τῶν σκιῶν. 5. αἱ μοῦσαι. 6. τὴν γέφυραν. 7. ἡμέρᾳ. 8. μαχαιρῶν. 9. ἁμάξῃ. 10. ἀρεταῖς. 11. τῇ σελήνῃ. 12. τὴν θάλατταν. 13. τὰς κεφαλάς. 14. ἡ σοφία. 15. ἡ τῆς λεαίνης γλῶττα. 16. τῇ τῆς γεφύρας σκιᾷ.

17. τὴν τῶν μουσῶν σοφίαν. 18. τὴν ἐν τῇ λεαίνῃ ἄκανθαν. 19. ἡ ἐπὶ τῇ θαλάττῃ οἰκία. 20. τῶν τῆς ψυχῆς ἡδονῶν. 21. τῆς ἐπὶ τῇ γεφύρᾳ ἁμάξης. 22. ἡ ἀρετὴ καὶ ἡ σοφία. 23. τὴν κεφαλὴν καὶ τὴν γλῶτταν. 24. τὴν ἐν τῇ οἰκίᾳ τράπεζαν. 25. τῆς σελήνης καὶ τῶν πηγῶν.

LESSON II

MASCULINE NOUNS OF THE FIRST DECLENSION

Grammar, §§ 28, 29, 30

2. 1. δεσπότου. 2. ταμιῶν. 3. ὁπλίταις. 4. μαθητήν. 5. τοὺς στρατιώτας. 6. ποιητοῦ. 7. πολίτῃ. 8. τοῦ τοξότου. 9. τοῖς ὁπλίταις καὶ τοῖς τοξόταις. 10. τῶν πολιτῶν καὶ τοῦ κριτοῦ. 11. οἱ τοῦ Πέρσου στρατιῶται. 12. τοὺς τῶν Ἀτρειδῶν τοξότας. 13. τῶν ἐν τῇ οἰκίᾳ νεανιῶν. 14. οἱ ποιηταὶ καὶ οἱ μαθηταί. 15. οἱ τοῦ σατράπου πελτασταί. 16. τῶν κριτῶν καὶ τοῦ νεανίου. 17. δεσπότην καὶ τοὺς στρατιώτας. 18. τοὺς τῶν πολιτῶν κριτάς. 19. ὁ ἐπὶ τῇ γεφύρᾳ στρατιώτης. 20. οἱ ἐν τῇ ἁμάξῃ νεανίαι. 21. τῷ Ἀτρείδῃ καὶ τῷ ποιητῇ.

LESSON III

REVIEW OF FIRST DECLENSION

GRAMMAR, §§ 25 to 30

Nouns when referring to a whole class regularly take the article. Grammar, § 276, 2.

ἀλλά, conj., *but*.
ἔχει, vb., *he, she, it has*.
ἔχουσι(ν), Gr. 9, 1, vb., *they have*.
θαυμάζει, vb., *he, she, it admires*.
θαυμάζουσι(ν), Gr. 9, 1, vb., *they admire*.
οὐ, οὐκ, οὐχ, Gr. 9, 3, adv., *not*.
φέρει, vb., *he, she, it brings, bears*.
φέρουσι(ν), Gr. 9, 1, vb., *they bring, bear*.

Look up new nouns in the Vocabulary, page 47.

3. 1. τοὺς ὁπλίτας ἔχει. 2. ἔχει οἰκίαν. 3. ἔχει ὁ στρατιώτης μάχαιραν. 4. θύραν ἔχει ἡ οἰκία. 5. ἐν τῇ σκηνῇ ἅμαξαν ἔχουσιν. 6. ἔχει Ξενίας τοὺς τοξότας. 7. ἐν τῇ γλώττῃ ἔχει ἡ λέαινα ἄκανθαν. 8. τράπεζαν ἔχουσιν ἐν τῇ ἀγορᾷ. 9. ἡδονὴν τοῖς πολίταις φέρει ἡ τοῦ ποιητοῦ ἀρετή. 10. τὰς ἐν τῇ κώμῃ οἰκίας θαυμάζουσιν. 11. θαυμάζουσι τὴν κώμην καὶ τὰς σκηνὰς οἱ τοξόται. 12. τῷ κριτῇ φέρουσιν οἱ νεανίαι τὴν τοῦ Πέρσου μάχαιραν. 13. οἱ ποιηταὶ θαυμάζουσι τὴν σελήνην καὶ τὴν θάλατταν. 14. οὐ τὴν κακίαν ὁ νεανίας θαυμάζει ἀλλὰ τὴν ἀρετήν. 15. οὐ θαυμάζει τὴν τῶν ὁπλιτῶν μάχην.

4. 1. The houses have doors. 2. The soldier has a tent. 3. They admire the wisdom of the judge. 4. He has a wagon in the market-place. 5. He has not a house, but a tent. 6. The poet has a lioness in the house. 7. The judge does not admire the wisdom of the youths. 8. They do not admire the virtue of the poet but the wisdom of the muses. 9. The soldiers have tents and wagons. 10. The bowmen have the sabres of the soldiers.

LESSON IV

SECOND DECLENSION

GRAMMAR, §§ 33, 34, 35

5. 1. *τῷ στρατηγῷ.* 2. *τῶν τοῦ θεοῦ νόμων.* 3. *κίνδυνον.* 4. *ἔργα.* 5. *ἐν τῇ ὁδῷ.* 6. *τοῖς πλοίοις.* 7. *τὰ ἐν τῷ πεδίῳ δένδρα.* 8. *οὐχ ὁ ἵππος ἀλλὰ οἱ ταῦροι.* 9. *δώρῳ.* 10. *ἐν τοῖς ποταμοῖς.* 11. *στρατηγοῖς.* 12. *τὰ ἔργα καὶ οἱ κίνδυνοι.* 13. *τοὺς νόμους.* 14. *τῷ οἴνῳ.* 15. *τὸν θάνατον ἀλλ᾽ οὐ τὸν βίον.* 16. *τὸ ἐν τῷ ποταμῷ πλοῖον.* 17. *τὰ τῶν θεῶν δῶρα.* 18. *τοῦ στρατηγοῦ καὶ τοῦ φίλου.* 19. *τοῖς ἐν τῇ νήσῳ ἵπποις.* 20. *τοῦ ποταμοῦ καὶ τοῦ πεδίου.* 21. *τοῖς ἔργοις.* 22. *τοὺς νόμους.* 23. *οὐ τὸν ταῦρον.* 24. *τοῦ πλοίου.* 25. *τοὺς τῶν στρατηγῶν φίλους.*

LESSON V

FIRST AND SECOND DECLENSIONS

GRAMMAR, §§ **25** to **30** and **33** to **35**

ἄγει, vb., *he, she, it leads.*
ἄγουσι(ν), vb., *they lead.*
εἰς, prep. w. acc., *into.*
ἐξ, ἐκ, Gr. **9**, 3, prep. with gen., *out of.*
ἐστί(ν), Gr. **9**, 3, vb., *he, she, it is.*
εἰσί(ν), vb., *they are.*
πέμπει, vb., *he, she, it sends.*
πέμπουσι(ν), vb., *they send.*
πιστεύει, vb. w. dat., *he, she, it trusts.*
πιστεύουσι(ν), vb. w. dat., *they trust.*

Look up Grammar, § **235**, 2.

6. 1. ὁ στρατηγὸς τοὺς στρατιώτας ἐπὶ τοὺς πολεμίους ἄγει. 2. συμμάχους οὐκ ἔχει ἐν τῷ πολέμῳ. 3. τὰ τοῦ στρατηγοῦ δῶρα θαυμάζουσιν οἱ στρατιῶται. 4. εἰς τὸ πεδίον τοὺς ὁπλίτας πέμπουσιν. 5. ἡ ἀρετὴ δῶρόν ἐστι τοῦ θεοῦ. 6. δένδρον ἐστὶν ἐν τῷ πεδίῳ. 7. τὸ ἔργον κίνδυνον φέρει τῷ νεανίᾳ. 8. πιστεύει ὁ κριτὴς τοῖς θεοῦ νόμοις. 9. τοὺς ἵππους καὶ τὸν ταῦρον ἄγουσιν εἰς τὸν ποταμόν. 10. ἐν κινδύνοις ἐστὶ τὸ πλοῖον. 11. τῷ στρατηγῷ πιστεύουσιν οἱ στρατιῶται. 12. φέρει τὸ δένδρον φύλλα καὶ καρπούς. 13. κίνδυνοί εἰσιν ἐν τῇ ὁδῷ. 14. οὐ τοὺς ἵππους ἀλλὰ τὰ πλοῖα τοῖς στρατιώταις πέμπει. 15. οὐκ ἄγουσι τοὺς ἵππους ἐκ τοῦ πλοίου.

7. 1. The soldiers have tents. 2. The judge has a house. 3. The bowman leads the horse into the river. 4. They send gifts for the soldiers. 5. The general does not trust the youths. 6. The horses are in the plain. 7. The gift of the citizen is in the house. 8. Life and death are gifts of God. 9. The satrap leads the heavy-armed men out of danger. 10. He does not send soldiers from the plain, but from the boats.

LESSON VI

THIRD DECLENSION. MUTE AND LIQUID STEMS

GRAMMAR, §§ **42, 43, 44**

8. 1. στρατεύμασι. 2. ποιμένων. 3. χάριτας. 4. νύκτα. 5. ἐλπίδες. 6. δαίμονας. 7. κήρυξι. 8. λέοντος. 9. ῥήτορι. 10. στρατευμάτων. 11. λέουσι. 12. ὄρνιν. 13. κήρυκος. 14. νυξί. 15. διώρυχα. 16. ἀγῶνες. 17. αἰγῶν. 18. ἁλός. 19. ἀσπίδας. 20. κλωπί. 21. αἶγες καὶ λέοντες. 22. κῆρυξ ἐν τῇ νυκτί. 23. ἀσπίδες τῷ στρατεύματι. 24. τὸ τοῦ ποιμένος σῶμα. 25. γέρουσι καὶ κήρυκι. 26. χάριν. 27. ἀσπίσι. 28. ἐλπίδι. 29. δαίμοσι. 30. νυκτός. 31. κηρύκων. 32. ἀγῶνι. 33. λεόντων.

γράφει, vb., *(he) writes*. **διώκει**, vb., *(he) pursues*.
γράφουσι(ν), vb., *(they) write*. **διώκουσι(ν)**, vb., *(they) pursue*.
οὐ μόνον . . . ἀλλὰ καὶ, *not only . . . but also*.

9. 1. *ἐν νυκτὶ τὰ στρατεύματα ἄγουσιν.* 2. *τῷ λέοντι οὐ πιστεύουσιν οἱ ποιμένες.* 3. *τὴν νίκης ἐλπίδα ἔχει ὁ στρατηγός.* 4. *τῷ ῥήτορι ὄρνιν πέμπει ὁ νεανίας.* 5. *ὁ ποιητὴς ἐπιστολὴν γράφει τῷ δαίμονι.* 6. *πέμπουσι τὸν λέοντα εἰς τὸν ἀγῶνα.* 7. *θαυμάζουσιν οἱ ἡγεμόνες τὴν τοῦ στρατιώτου ἀσπίδα.* 8. *τὴν αἶγα εἰς τὴν οἰκίαν ὁ ποιμὴν διώκει.* 9. *τοῖς γέρουσίν ἐστιν ἡ σοφία.* 10. *ἡγεμόνα ἔχει τὸ τῶν βαρβάρων στράτευμα.* 11. *οὐ μόνον ἀσπίδας ἀλλὰ καὶ θώρακας φέρουσι τῷ στρατεύματι.* 12. *τοὺς φύλακας εἰς τὸ πεδίον οἱ κήρυκες πέμπουσιν.*

10. 1. They admire not only the orators, but also the poets. 2. He sends the armies into the contest. 3. He writes a letter to the herald. 4. The watchmen admire the gifts of the leader. 5. The soldiers have a shield. 6. They admire the phalanx of the allies. 7. He brings a shield to the old man. 8. Hope is for the youths. 9. He pursues not only the Greeks, but the phalanx of the allies. 10. They do not write letters to the old men.

LESSON VII

THIRD DECLENSION. STEMS IN σ AND VOWEL STEMS

GRAMMAR, §§ 45 to 49

11. 1. θέρει. 2. τείχη. 3. ξίφεσι. 4. ἀνθῶν. 5. ἔτους. 6. Σώκρατες. 7. ἱερεῖς. 8. ἱππέων. 9. δυνάμεως. 10. ἄσκησιν. 11. μύες. 12. ἰσχύν. 13. κρίσει. 14. βότρυσι. 15. πράξει. 16. φονεῦσι. 17. τὸ τοῦ ποταμοῦ εὖρος. 18. ὄρους. 19. ἔτη. 20. δυνάμεις. 21. ἱππέας. 22. φονέων.

μέν is used in the first of two corresponding expressions; it is generally not to be translated.

δὲ is used in the second of two corresponding expressions; it is generally translated by *and* or *but*.

ἀπο-κτείνει, vb., *he kills.*
ἀπο-κτείνουσι, vb., *they kill.*
σῴζει, vb., *he saves.*
σῴζουσι, vb., *they save.*
φθείρει, vb., *he corrupts, destroys.*
φθείρουσι, vb., *they corrupt, destroy.*

12. 1. τὸν βασιλέα ὁ φύλαξ σῴζει. 2. ἀποκτείνει τὸν ἱππέα ξίφει. 3. τὸ θέρος ἄνθη φέρει. 4. σκότος τῇ γῇ ἡ νὺξ ἄγει. 5. πυρὶ τὴν χώραν φθείρουσιν. 6. οἱ νεανίαι εἰσὶ τείχη τῆς πατρίδος. 7. οἱ μύες τοὺς βότρυς ἐκ τῆς οἰκίας φέρουσιν. 8. τὸ μὲν ξίφος τὰ σώματα φθείρει, τὰ δὲ ψεύδη τὴν ψυχήν. 9. οἱ μὲν ἱππεῖς εἰσιν ἐν τῷ πεδίῳ, οἱ δὲ πελτασταὶ ἐπὶ τῷ τείχει. 10. τοὺς μὲν ἱερέας οἱ ἐν τῷ ἄστει στρατηγοὶ ἀποκτείνουσι, τὸν δὲ βασιλέα σῴζουσιν. 11. ἰχθύες μὲν ἐν τοῖς ποταμοῖς, ἐν δὲ τοῖς ὄρεσι θηρία. 12. ὁ βασιλεὺς γένει μέν ἐστι Ἀθηναῖος, τοῖς δὲ ἤθεσι βάρβαρος. 13. τὰ τοῦ βασιλέως πλοῖα αἱ τριήρεις φθείρουσιν. 14. ἐκ τοῦ δένδρου ἄνθη, ἐκ τῶν βοτρύων οἶνος. 15. τὸ ἔτος τοῖς ἀνθρώποις φέρει καὶ θέρος καὶ χειμῶνα.

13. 1. The king leads the army into the city. 2. He kills the horseman with a sword. 3. The army was in darkness. 4. The soldiers destroy the city. 5. The city has walls. 6. The city is on a mountain. 7. The citizens on the wall save the orator. 8. The murderer kills not only the watchman but also the priest. 9. He brings a fish to the king. 10. He sends a sword to the horseman but a breastplate to the soldier. 11. The soldiers destroy the city, but do not kill the king. 12. The mice destroy the house in the darkness of night.

LESSON VIII

ADJECTIVES OF THE FIRST AND SECOND DECLENSION

GRAMMAR, §§ 56 to 59

The attributive adjective is put between the article and noun, or may stand after the noun with the article repeated. Grammar, § 281.

14. 1. τοῦ φίλου ποιητοῦ. 2. τὰ πολέμια στρατεύματα. 3. τὴν ὀρθίαν ὁδόν. 4. ταῖς δειναῖς λεαίναις. 5. τῶν κακῶν ἀνθρώπων. 6. τῷ ἀδίκῳ νόμῳ. 7. αἱ καλαὶ πηγαί. 8. τὴν ἥσυχον νύκτα. 9. τῷ ἀγαθῷ γέροντι. 10. τοῦ δικαίου ῥήτορος. 11. βεβαίαις ἐλπίσιν. 12. τὸν νόμον τὸν δίκαιον. 13. πεδίον μεστὸν δένδρων. 14. ἐν τῷ τοῦ καλοῦ παραδείσου ποταμῷ. 15. καλαὶ τῷ στρατεύματι ἐλπίδες.

Look up Grammar, §§ 262, 1, *and* 240.

ἀπό, prep. w. gen., *from, away from.*

καί . . . καί, *both . . . and.*

μέχρι, improper prep. w. gen., *up to, until.*

πανταχοῦ, adv., *everywhere.*

15. 1. ἐν τῇ πόλει εἰσὶ δίκαιοι ῥήτορες. 2. ἡ κώμη μεστή ἐστι σίτου καὶ οἴνου. 3. ἐν τῷ καλῷ παραδείσῳ εἰσὶν οἱ τοῦ στρατηγοῦ φύλακες.

4. πανταχοῦ οἱ κήρυκές εἰσιν ἅγιοι. 5. ἐν τῇ νήσῳ εἰσὶ δεινοὶ ἄνθρωποι. 6. ἔχουσιν οἱ ἐν τῇ πόλει στρατιῶται ἅρματα ἱκανά. 7. θάνατος κοινός ἐστι καὶ τοῖς ἀγαθοῖς καὶ τοῖς κακοῖς. 8. ὁ βίος μεστός ἐστι βεβαίων ἐλπίδων ἀπὸ τῆς ἀρχῆς μέχρι θανάτου. 9. οἱ μὲν ταῦροι τοῖς κέρασι φοβεροί εἰσιν, οἱ δὲ ῥήτορες τοῖς λόγοις. 10. διώκουσι τοὺς πολεμίους στρατιώτας μέχρι τοῦ τείχους.

16. 1. The soldier is both strong and terrible. 2. He pursues the hostile army from the plain up to the walls of the city. 3. They lead the soldiers into villages both beautiful and friendly. 4. A steep road leads into the park. 5. The poets are worthy of praise.

LESSON IX

ADJECTIVES OF THE THIRD DECLENSION

GRAMMAR, §§ 63 to 67

17. 1. ἀσεβεῖ νεανίᾳ. 2. σαφῆ λόγον. 3. σώφρονα καὶ εὐσεβῆ κριτήν. 4. συγγενεῖς. 5. ἀσφαλοῦς τείχους. 6. ἄφρονας ἀνθρώπους. 7. ἀληθῆ. 8. τῷ ἀμείνονι στρατεύματι. 9. συγγενέσι. 10. οἱ εὐδαίμονες. 11. τοὺς εὐτυχεῖς.

12. δικαίῳ καὶ ἀληθεῖ ῥήτορι. 13. ἀμεινόνων στρατηγῶν. 14. θάττονι στρατιώτῃ. 15. αἰσχίονος θανάτου. 16. ἐν τῇ τῶν συγγενῶν οἰκίᾳ. 17. βελτίονας βασιλέας. 18. οἱ ἀμείνους.

ἀεί, adv., *always.*
ἐλαύνει, vb., *he drives, marches.*
ἐλαύνουσι, vb., *they drive, march.*
οὐδαμῶς, adv., *nowhere.*
οὔτε . . . οὔτε, conj., *neither . . . nor.*

18. 1. ἀφανής ἐστιν ἡ ὁδός. 2. σαφές ἐστιν. 3. οἱ Πέρσαι ἔχουσι χιτῶνας πολυτελεῖς. 4. οὐ καταφανεῖς εἰσιν οἱ πολέμιοι. 5. ὁ παράδεισος πλήρης ἐστὶν ἀγρίων θηρίων. 6. δῶρα φέρουσι τοῖς βελτίοσι στρατιώταις. 7. τὸν ἵππον ἐλαύνει ὁ ἀσεβὴς νεανίας. 8. ἡ πόλις πύργοις ἐστὶν ἀσφαλής. 9. τὸ τέλος τῷ εὐσεβεῖ ἐστιν εὐτυχές. 10. τῷ μὲν σώφρονι θεὸς νόμος ἐστίν, τῷ δ' ἄφρονι ἡ ἰσχύς. 11. ἡ γέφυρα οὐδαμῶς ἐστιν ἀσφαλής. 12. ἡ ἀρετὴ καὶ ἡ σοφία εἰσὶ συγγενεῖς. 13. οὔτε οἱ ἀσεβεῖς οὔτε οἱ εὐσεβεῖς εἰσιν ἀεὶ εὐδαίμονες. 14. τοὺς ἀμείνονας ταύρους οἱ νεανίαι εἰς τὸ πλοῖον ἄγουσιν, τοὺς δὲ χείρονας εἰς τὸν ποταμόν. 15. ἡ τοῦ βίου τελευτὴ οὔτε τοῖς σοφοῖς οὔτε τοῖς ἄφροσίν ἐστι σαφής.

19. 1. The tower of the city is safe. 2. It is not true. 3. The general of the barbarians has a costly tunic. 4. The better soldiers drive the horses. 5. Neither the pious nor the impious are always fortunate. 6. The poet and the judge are akin. 7. The general marches into a park full of horses. 8. Fortunate is the end of the just man. 9. The citizens are safe nowhere in the city. 10. The towers of the city are full of soldiers.

LESSON X

ADJECTIVES OF THE FIRST AND THIRD DECLENSION

GRAMMAR, §§ 68 to 74

20. 1. γλυκεῖ οἴνῳ. 2. εὐρέων τειχῶν. 3. ἡδέος ὕδατος. 4. βαρείαις ἁμάξαις. 5. ὁδὸν εὐρεῖαν. 6. μέλανας ἀνθρώπους. 7. ὀξὺν οἶνον. 8. πᾶσι τοῖς στρατιώταις. 9. πᾶν τὸ στράτευμα. 10. πᾶσαι αἱ μοῦσαι. 11. πασῶν ἐλπίδων. 12. πᾶσαν τὴν νύκτα. 13. πάσης τῆς χώρας. 14. πάντες οἱ φύλακες. 15. τραχέσι λίθοις. 16. εὐρεῖς ποταμούς. 17. ὀξεῖς μάχαιραι. 18. ὁδῷ τραχείᾳ. 19. πάντα τὰ ξίφη. 20. πᾶσι τοῖς Ἕλλησι.

A neuter plural subject regularly takes a verb in the singular.

διά, prep. w. gen. and acc. With gen., *through*; with acc., *on account of*.

21. 1. σκηνὰς ἔχουσιν ἐν εὐρεῖ πεδίῳ. 2. αἰσχύνην φέρει τῇ πατρίδι καὶ πάσῃ τῇ Ἑλλάδι. 3. βραχὺς μὲν ὁ βίος, ἡ δὲ τέχνη μακρά. 4. πάντα τὰ ξίφη ἐν ταῖς τῶν Ἀθηναίων σκηναῖς ἐστιν. 5. ἀρχή ἐστιν ἥμισυ τοῦ παντός. 6. πάντων ἀγαθῶν οἱ θεοὶ τοῖς ἀνθρώποις πηγὴ καὶ αἰτία εἰσίν. 7. κέρδη αἰσχρά ἐστι βαρέα κτήματα. 8. πάντας μὲν τοὺς συμμάχους ἀποκτείνουσι, τὸ δὲ τῶν Ἑλλήνων στράτευμα διώκουσι μέχρι τοῦ ποταμοῦ. 9. πάντων πραγμάτων ἡ μὲν ἀρχὴ χαλεπή, τὸ δὲ τέλος ἀεὶ γλυκύ. 10. ἡ τῆς ἀρετῆς ὁδὸς στενή ἐστι καὶ τραχεῖα. 11. τὰ τῶν βαρβάρων ξίφη ἐστὶ βραχέα. 12. ὕδωρ ἡδὺ οὐκ ἔστιν ἐκ πηγῆς πικρᾶς. 13. ἐλαύνει ὁ Κῦρος διὰ πεδίου καὶ εὐρέος καὶ τραχέος.

22. 1. All the soldiers are in the plain. 2. He brings sweet wine from the city into the tent of the general. 3. He drives all the horses through the broad river. 4. All the gifts are in the tents. 5. They pursue the barbarians through the broad plain. 6. The mountains are rough with stones.

LESSON XI

COMPARISON OF ADJECTIVES

GRAMMAR, §§ 87 to 90

23. 1. πιστότατος. 2. κουφότερος. 3. δικαιότεροι. 4. ὀξυτάτῃ μαχαίρᾳ. 5. ἰσχυρότατοι πελτασταί. 6. πολεμιωτάτῳ βασιλεῖ. 7. χαλεπωτάτῳ πόνῳ. 8. πολεμικώτατοι τῶν στρατιωτῶν. 9. βραχυτάτῳ χρόνῳ. 10. ἀξιώτατοι τῶν ῥητόρων. 11. ὁ σεμνότερος δαίμων. 12. τῇ ἀσφαλεστάτῃ ὁδῷ. 13. πιστότατοι τῷ βασιλεῖ. 14. ὁ αἴσχιστος βίος. 15. οἱ κάκιστοι.

The genitive is used with comparatives when ἤ, *than*, is omitted. Grammar, § 263.

παρά, prep. w. gen., dat., and acc. With gen., *from*; with dat., *by the side of*; with acc., *near*.
πολλάκις, adv., *often*.
σύν, prep. w. dat., *with*.

24. 1. κακίονές εἰσιν οἱ βάρβαροι ἢ οἱ Ἕλληνες. 2. κακίονές εἰσιν οἱ βάρβαροι τῶν Ἑλλήνων. 3. ἡ παρὰ τῷ ποταμῷ ὁδὸς χαλεπωτάτη ἐστίν. 4. οἱ κάκιστοι ἀεὶ αἴσχιστοι. 5. ὁ φύλαξ ἀξιώτερός ἐστι τῶν ἄλλων στρατιωτῶν.

6. τὸ στρατόπεδόν ἐστιν ἐν τόπῳ ἀσφαλεστάτῳ. 7. ἔργα χαλεπώτερά ἐστι λόγων. 8. ἀπιστοτάτη ἡ τύχη. 9. οἱ Αἰθίοπες μελάντατοί εἰσι πάντων ἀνθρώπων. 10. πρεσβύτερος μέν ἐστι Ἀρταξέρξης, νεώτερος δὲ Κῦρος. 11. πολλάκις οἱ ἄνθρωποι ἀφρονέστεροι τῶν θηρίων. 12. ἡ γλῶττά ἐστι ὀξυτέρα τοῦ ξίφους.

25. 1. The wine is most sweet. 2. The Greeks are more hostile than the barbarians. 3. The just (man) is more happy than the unjust. 4. The house is by the side of the greater river. 5. The camp is most safe. 6. The most faithful of the watchmen saves the king.

LESSON XII

THE PERSONAL AND DEMONSTRATIVE PRONOUNS AND αὐτός

GRAMMAR, §§ **95** to **98** and **102** to **107**

Consult Grammar, § **292**, for the three meanings of **αὐτός**.

Consult Grammar, § **291**, for the meaning of the demonstrative pronouns.

When a demonstrative pronoun agrees with a noun, the noun regularly takes the article.

26. 1. ὑμεῖς. 2. ἐμοῦ. 3. σέ. 4. ἡμᾶς. 5. ὑμῖν. 6. σοῦ. 7. σοί. 8. ἐμέ. 9. ἡμῶν. 10. αὐτῷ. 11. τοῦ αὐτοῦ στρατεύματος. 12. τὸ δῶρον αὐτό. 13. τὰ αὐτὰ τείχη. 14. αὐτὸς ὁ ποιμήν. 15. τῷ στρατηγῷ αὐτῷ. 16. ταύτῃ τῇ ἡμέρᾳ. 17. τῆσδε τῆς οἰκίας. 18. τῇ τριήρει ἐκείνῃ. 19. οὗτοι οἱ στρατιῶται. 20. ἐν τῇδε τῇ νήσῳ. 21. ταῦτα. 22. ἐκεῖνος. 23. πάντων ἐκείνων. 24. αὐτόν.

Look up Grammar, §§ **238** *and* **246, 1.**

λαμβάνει, vb., *he takes.*
λαμβάνουσι, vb., *they take.*
λέγει, vb., *he says.*
λέγουσι, vb., *they say.*
λείπει, vb., *he leaves.*
λείπουσι, vb., *they leave.*
μετά, prep. w. gen. and acc. With gen., *with;* with acc., *after.*
φεύγει, vb., *he flees.*
φεύγουσι, vb., *they flee.*
τέ, postpositive conj. and enclitic (like Latin -que), *and.*
τε . . . καί and **τε καί**, *both . . . and.*

27. 1. ἡ αὐτὴ σκηνή ἐστιν ἐμοί τε καὶ σοί. 2. πάντες τὰ αὐτὰ λέγουσιν. 3. ἄγουσιν αὐτὸν πρὸς τὸν αὐτὸν στρατηγόν. 4. πέμπει αὐτῷ δεινότατον λόγον. 5. ὁ θεὸς ἡμῶν πάντων βασιλεύς. 6. σῴζει ὁ θεὸς σὲ καὶ ἐμὲ καὶ ἡμᾶς πάντας ἐν κινδύνοις. 7. τῇ αὐτῇ ἡμέρᾳ τὸν βασιλέα ἀποκτείνει καὶ ὁ στρατηγὸς αὐτὸς φεύγει. 8. τούτους τοὺς στρατιώτας λαμβάνει, ἐκείνους δὲ λείπει. 9. μετὰ ταῦτα ὁ κριτὴς λέγει τάδε. 10. ἥδε ἡ ἡμέρα μεγάλων κακῶν ἐστιν αἰτία πᾶσι τοῖς Ἕλλησιν. 11. ἐν ταύτῃ τῇ πόλει οἱ αὐτοὶ νόμοι εἰσὶ πᾶσιν. 12. τοῖς ὀφθαλμοῖς ἐμαυτοῦ πιστεύω μᾶλλον ἢ τοῖς τούτων τῶν ῥητόρων λόγοις. 13. ταῦτα μὲν λέγει ὁ στρατηγός, οἱ δὲ στρατιῶται οὐκ αὐτῷ πιστεύουσιν. 14. πάντες τὰ αὐτὰ λέγουσι, λείπουσί τε τὴν στρατιάν.

28. 1. He says all these (things). 2. On the same night they kill all the watchmen. 3. He takes the soldiers, but leaves the king himself. 4. He sends him a beautiful gift. 5. The army saves us all. 6. The general himself flees. 7. These he kills, those he saves. 8. He says these things to me, but not to you. 9. They lead him to the same general. 10. The king is in this tent, but the herald in that.

LESSON XIII

INTERROGATIVE, INDEFINITE, AND RELATIVE PRONOUNS

GRAMMAR, §§ 108 to 114

29. 1. παῖς τις. 2. μέρος τι. 3. στρατιῶταί τινες. 4. δίκαιόν τι. 5. τῶν ἐχθρῶν τινες. 6. τίς; 7. τίνι; 8. τῶν στρατηγῶν τις. 9. τίς τῶν βαρβάρων; 10. εἰς ποταμόν τινα. 11. ᾧτινι. 12. ὅ τι. 13. ὅντινα. 14. ὅστις ὑμῶν. 15. ἅτινα δῶρα. 16. ἃ ἔχει. 17. ἅτινα ἔχει. 18. ὧν τὰ ὅπλα. 19. οὗ τὸ εὖρος. 20. ὧν τὰ σώματα. 21. ἀγῶνί τινι. 22. τίσι κακοῖς; 23. ἀγαθός τις. 24. ἄλλος τις.

δια-βαίνει, vb., *he goes through, crosses.*
ἦν, vb., *he was.*
ἦσαν, vb., *they were.*
θύει, vb., *he sacrifices.*
νομίζει, vb., *he thinks, considers.*
οὐδέποτε, adv., *never.*
πράττει, vb., *he does, accomplishes.*

30. 1. τοῦτο λέγει τις. 2. τίς τοῦτο λέγει; 3. ἦν τις ἐν τῇ στρατιᾷ στρατιώτης. 4. τί λέγει ὁ κριτής; 5. ἐν τίσι κακοῖς ἦσαν οἱ Ἕλληνες; 6. τίνος ἐστὶν ὁ ἵππος: 7. τῶν στρατιωτῶν τινα πέμπει εἰς τὴν πόλιν. 8. μετὰ ταῦτα ποταμόν τινα δια-βαίνουσιν. 9. ἦσαν αὐτοῖς ταῦροί τινες οὓς θύουσι τῷ δαίμονι. 10. τὸ στράτευμα ἄγει Κῦρος ἐπὶ ὁδόν τινα ἣ τραχεῖα ἦν λίθοις μεγάλοις. 11. καὶ σὺν αὐτῷ πέμπει τινὰς τῶν ἱππέων οἷς μάλιστα πιστεύει. 12. ὅστις ὑμῶν τοῦτο πράττει, ἄδικός ἐστιν. 13. ἅτινα ἔχει, παρὰ θεοῦ ἔχει.

31. 1. What does the general say? 2. The general says something. 3. Certain soldiers were in the city. 4. He crosses a river which was rough with stones. 5. He sacrifices a bull to a certain one of the gods. 6. The river which they are crossing was wide. 7. Whoever does this is an enemy of the gods.

LESSON XIV

PRINCIPAL PARTS OF ω-VERBS

Grammar, §§ 137 to 150

32. 1. παύσω. 2. ἐστράτευσα. 3. βεβούλευμαι. 4. ἔπαυσα. 5. κωλύσω. 6. πέπαυκα. 7. κινδυνεύσω. 8. ἐκωλύθην. 9. πέπαισμαι. 10. ἐπαίδευσα. 11. ἐβουλεύθην. 12. ἐκινδύνευσα. 13. θηρεύσω. 14. ἐκώλυσα. 15. πεπαίδευμαι.

33. 1. ἐβοήθησα. 2. ἐκοσμήθην. 3. ἐνίκησα. 4. πεποίημαι. 5. πολεμήσω. 6. ζητήσω. 7. ἐνικήθην. 8. ποιήσω. 9. κεκόσμηκα. 10. ἠπάτησα. 11. ἠρωτήθην. 12. ᾠκήθην. 13. ἠρώτησα. 14. ἐν-ῴκησα. 15. ἠξιώθην.

34. 1. κλέψω. 2. ἐκαλύφθην. 3. ἔκρυψα. 4. ἔκλεψα. 5. καλύψω. 6. κέκρυμμαι. 7. ἐκρύφθην. 8. ῥίψω. 9. ἅψω. 10. ἐκάλυψα. 11. κρύψω. 12. ἔρριψα. 13. κέκλεμμαι. 14. ἧψα. 15. ἐρρίφθην.

35. 1. φυλάξω. 2. τέταγμαι. 3. ἐκήρυξα. 4. κηρύξω. 5. ἐκηρύχθην. 6. πεφύλαγμαι. 7. ἐτάχθην. 8. ταράξω. 9. ἐφυλάχθην. 10. ἔταξα. 11. τετάραγμαι. 12. ἐτάραξα. 13. ἐφύλαξα. 14. ἐταράχθην. 15. κατ-ηλλάχθην.

36. 1. ἀγοράσω. 2. ὡρίσθην. 3. ἥρπασα. 4. ἤθροισμαι. 5. ἠγόρασα. 6. ἀθροίσω. 7. ἐψήφικα. 8. ἠναγκάσθην. 9. ὥρισα. 10. ἥρπακα. 11. ἤθροισα. 12. ἠνάγκασα. 13. ἐψήφισμαι. 14. ἠνάγκασμαι. 15. ἐψηφίσθην.

37. 1. ἐσημάνθην. 2. αἰσχυνῶ. 3. ἔκλινα. 4. ἐποίκιλα. 5. καθαρῶ. 6. κεκάθαρμαι. 7. σημανῶ. 8. κλινῶ. 9. ᾐσχύνθην. 10. ποικιλῶ. 11. ἐσήμηνα. 12. ᾔσχυνα. 13. σεσήμασμαι. 14. ἐκλίθην. 15. κέκριμαι.

LESSON XV

ACTIVE VOICE OF ω-VERBS

GRAMMAR, § 155

38. 1. ἔλυεν. 2. λύῃ. 3. λυσάσης. 4. λύωσιν. 5. λύσαντες. 6. λύσειε. 7. λῦσαι. 8. ἀκούσας. 9. ἀκούοντος. 10. ἀκοῦσαι. 11. βεβούλευκεν. 12. ἔγραψαν. 13. γράψαι. 14. γράφειν. 15. ἐθέλει. 16. ἤθελον. 17. ἐθαύμασεν. 18. γράφων. 19. θαυμάζωσιν. 20. κελεύειν. 21. κόψας. 22. πέμψαιμι. 23. θαυμάζοι. 24. κελεύοιεν. 25. ἔλεξαν. 26. λείπῃ. 27. κελεύσαι. 28. κρύψαντες. 29. ἐπράττομεν. 30. ἔφευγον. 31. μένων. 32. λέγουσιν. 33. κόπτων. 34. λείποιμι. 35. κελεῦσαι. 36. γράψαντες. 37. θαυμάσῃ. 38. ἔπραξαν. 39. τάξαντες. 40. ἐστράτευσαν.

39. 1. οἱ Πέρσαι τὰ τέκνα εἰς ἀλήθειαν ἐπαίδευον. 2. οἱ στρατηγοὶ ἐκέλευσαν τοὺς στρατιώτας διώκειν τοὺς πολεμίους. 3. πολλάκις οἱ Ἀθηναῖοι ὑπὲρ δόξης ἐστράτευον καὶ ἐκινδύνευον. 4. οἱ φεύγοντες πολλὰ πάσχουσιν. 5. Κῦρος πολλὰ πλοῖα ἔχων τοὺς πολεμίους ἐδίωξεν. 6. ὁ φίλους ἔχων θησαυροὺς ἔχει. 7. ταῦτα ἀκούσας οὐδὲν ἔλεξεν. 8. ἐν τῇ Φρυγίᾳ ἦν παράδεισος ὅπου Κῦρος πολλάκις ἐθήρευεν ἀφ' ἵππου. 9. ὁ κῆρυξ πάντας τοὺς στρατιώτας ἐκέλευσε τοῖς θεοῖς θύειν. 10. Ἕλληνες ὄντες οὐ τοῖς βαρβάροις δουλεύσομεν. 11. ἐπιστολὴν γράψας πέμψω πρὸς τοὺς πολίτας, τάδε κελεύων· εἰς τὰς κώμας ἄγετε τοὺς ἄρχοντας καὶ τὰ ὅπλα κρύπτετε.

40. 1. We will hunt the wild-beasts in the park. 2. The herald having said this heard the words of the general. 3. We often run into danger and suffer many things for the sake of honor. 4. The general having sacrificed to the gods ordered the soldiers to shoot the bow. 5. Being heavy-armed men they did not pursue the fugitives (those fleeing).

LESSON XVI

MIDDLE AND PASSIVE VOICES OF ω-VERBS

GRAMMAR, §§ **156** to **159**

41. 1. ἐβούλετο. 2. κωλυόμενος. 3. λύηται. 4. τέταγμαι. 5. βουλεύοιντο. 6. μάχεσθαι. 7. κρυψάμενος. 8. ἐπέμφθησαν. 9. ἐκρύψατο. 10. τεταγμένος εἴη. 11. πορευθείς. 12. λαμβάνονται. 13. κωλύοιτο. 14. μετα-πεμψάμενος. 15. ταχθῆναι. 16. βουλευθείη. 17. φθείρεται. 18. πορεύεσθαι. 19. διωχθείς. 20. ἐρχόμενος. 21. ἐφοβήθη. 22. θεασαμένῳ. 23. λέγεται. 24. ἐζημιώθησαν. 25. δέχεσθαι. 26. βεβουλευμένος. 27. ἐκρύπτετο. 28. πέμψονται. 29. ἤρξαντο. 30. μάχωνται. 31. λελύσθαι. 32. λυθήσονται. 33. ἐπορεύθησαν. 34. ταχθείην. 35. φιληθῆναι. 36. ἐβουλόμεθα. 37. μάχοισθε.

Look up Grammar, § **264**.

42. 1. ἐδιώκοντο οἱ βάρβαροι διὰ τοῦ πεδίου. 2. δι-ηρπάσθη ὑπὸ τῶν ἱππέων τὰ τῶν Ἑλλήνων ὅπλα. 3. οἱ φύλακες ὑπὸ τοῦ στρατηγοῦ πεμφθήσονται εἰς τὴν πόλιν. 4. μυρίους στρατιώτας εἰς μάχην τεταγμένους κέλευει προσ-έρχεσθαι. 5. ἐκ ταύτης τῆς κώμης ὑπὸ τοῦ κωμάρχου ἐπέμφθη ἄγγελος πρὸς Κῦρον. 6. μετὰ τὸν Κύρου θάνατον ἡ Ἑλληνικὴ στρατιὰ οὐ σὺν τοῖς βαρβάροις ἐπορεύετο. 7. τὰ θεοῦ ἔργα ὑπὸ τῶν ἀνθρώπων θαυμάζεται. 8. οὐκ ἐφοβήθησαν οἱ Ἕλληνες ἀλλ' ἐπορεύοντο μαχόμενοι καὶ οὐ παυόμενοι.

43. 1. He was sent by Cyrus into the king's tent. 2. The soldiers were fighting and not ceasing. 3. The arms of the soldiers were admired by the men in the city. 4. The heavy-armed man being pursued by the barbarian was frightened. 5. The messenger was concealed in the house of the general.

LESSON XVII

PRESENT AND IMPERFECT OF CONTRACT VERBS

Grammar, §§ **164** to **169**

44. 1. τιμᾶται. 2. ἐφίλει. 3. δηλοῖεν. 4. δηλοῖ. 5. ἐτίμων. 6. φιλεῖν. 7. τιμώμενος. 8. δηλοῦν. 9. ἐφιλεῖτο. 10. νικῴη. 11. τιμᾶν. 12. κρατεῖται. 13. ἐποίουν. 14. πολεμοῦντες. 15. βοηθεῖν. 16. ἐρωτώμενος. 17. ἐποιοῦντο. 18. νικᾶν. 19. πολεμῶσι.

20. κρατεῖσθαι. 21. βοηθοίη. 22. ἐρωτᾶσθαι. 23. ποιοῖντο. 24. ἐνίκα. 25. ἠξίου. 26. πολεμῶν. 27. κρατούμενος. 28. ᾤκουν. 29. ἀξιοῦν. 30. κοσμεῖν.

Look up Grammar, § 340.

45. 1. τοὺς ἄρχοντας ἐζήτει ἵνα αὐτοῖς συμβουλεύοι. 2. τοῦτο ἐποίουν ἵνα μὴ ἐχθροὶ εἴησαν τῷ δεσπότῃ. 3. πολεμεῖν βούλομαι ἐπὶ ταύτην τὴν χώραν ἵνα ἄγω τοὺς στρατιώτας ἐπὶ τὴν θάλατταν. 4. πάντας ὠφελεῖν πειρᾶται ἵνα αὐτῷ φίλοι ὦσι. 5. οἱ νικῶντες ὑπὸ πάντων τιμῶνται. 6. αἱ τῶν Σπαρτιατῶν μητέρες τοὺς υἱοὺς ἐκέλευον ἢ νικᾶν ἐν ταῖς μάχαις ἢ τελευτᾶν. 7. τὸν βασιλέα τιμᾷ ἵνα μὴ ἐκ τοῦ στρατοπέδου ἀποπέμφθῃ.

46. 1. I will seek the king in order to honor him. 2. He commands the soldiers to pursue the enemy in order not to be conquered. 3. He wished to wage war in order to help his friends. 4. He honored the gods in order that they might not be hostile to him. 5. He sent gifts in order that the soldiers might be friendly to him.

LESSON XVIII

PERFECT AND PLUPERFECT MIDDLE OF MUTE AND LIQUID VERBS

GRAMMAR, §§ **172** to **175**

47. 1. πεπεισμένος. 2. τετρῖφθαι. 3. ἐπέπρακτο. 4. πέπεισται. 5. πεπραγμένοι εἰσί. 6. πεφάνθαι. 7. ἠγγελμένος. 8. ἤγγελται. 9. πέφανται. 10. τεταγμένοι. 11. ἐζευγμένοι εἰσί. 12. πεφυλάχθαι. 13. κεκρυμμένος. 14. σεσήμανται. 15. ἐψευσμένοι. 16. ἡρπασμένοι ἦσαν. 17. σεσημασμένος ὦ.

Look up Grammar, § **377**.

48. 1. οὐ πιστεύομεν τοῖς πολλάκις ἐψευσμένοις. 2. πάντα ταῦτα τοῖς στρατιώταις ἤγγελτο. 3. ἐπέπειστο μηδὲν αἴσχιον εἶναι τῆς ἀδικίας. 4. ἐνόμιζον ἐκεῖνα ὑπὸ τῶν πολεμίων πεπρᾶχθαι. 5. ἐνταῦθα γέφυρα ἦν, ἐζευγμένη ἑπτὰ πλοίοις. 6. οὗτος ὁ πιστὸς φύλαξ κάλλιστα κεκόσμηται. 7. λέγουσι τὸν ἄγγελον ὑπὸ τῶν στρατιωτῶν ἐσφάλθαι. 8. οἱ νόμοι αἵματι γεγραμμένοι εἰσίν.

49. 1. The gods do not love those who have lied. 2. All these things have been done by Cyrus. 3. The arms have been hidden in the tents of the enemy. 4. The city having been plundered is not friendly to us. 5. They say that certain laws have been written in blood.

LESSON XIX

THE SECOND TENSES

GRAMMAR, §§ 178 to 181

50. 1. ἔλιπον. 2. ἔφυγε. 3. λιπών. 4. λιπόμενος. 5. ἐφάνη. 6. λέλοιπε. 7. φανῆναι. 8. ἔκαμον. 9. κοπείς. 10. βέβλαφα. 11. λελοιπώς. 12. φανέντος. 13. φυγόντες. 14. κατ-εκόπη. 15. φυγεῖν. 16. ἐβλάβησαν. 17. φανῇς. 18. ἔβαλεν. 19. πέφηνα. 20. βλαβήσεται.

Look up Grammar, §§ 343, 344, 345, *and* 229.

51. 1. τοὺς στρατιώτας ἐκ τῆς πόλεως ἐξ-έβαλεν. 2. ἐν τοῖς βαρβάροις ἦν φόβος πολύς, ὥστε πολλοὶ τὰς σκηνὰς κατα-λιπόντες ἔφυγον. 3. ἐπεὶ ὁ Κῦρος εἰσ-ήλασεν εἰς τὴν πόλιν, ἐξ-ελιπον αὐτὴν οἱ ἐν-οικοῦντες. 4. ἔχει τριήρεις ὥστε τοὺς φυγόντας διώκειν. 5. ἤλαυνεν ἐπὶ τοὺς πολεμίους ὥστε ἐκείνους λιπόντας τὰς σκηνὰς ἀπο-φυγεῖν. 6. οἱ σύμμαχοι οὐχ ἧκον ὥστε οἱ Ἕλληνες πολλὰ ἐβλάβησαν. 7. ὁ πρεσβευτὴς εἰς Ἀθήνας ἀποσταλεὶς πολλὰ ἐθαυμάσθη. 8. αἴσχιστόν ἐστι τὴν τάξιν ἀπο-λιπεῖν καὶ ἐκ μάχης φυγεῖν.

52. 1. No one fled from the battle or left the ranks. 2. Cyrus was coming with an army, so that the citizens left the city. 3. The citizens cast out the allies from the city, so that Cyrus marched into it with the heavy-armed men. 4. Many were injured, so that there was great fear among all the inhabitants. 5. He was pursuing the fugitives (those fleeing) with triremes.

PART II. READING LESSONS

THE PERSIAN WARS

Grammar, § 246, 1

53. Δαρεῖος, ὁ τῶν Περσῶν δυνάστης, τοῖς Ἀθηναίοις ἐχθρὸς ἦν, καὶ μυρίους στρατιώτας ἐν πλοίοις ἔπεμπεν εἰς τὴν Ἀττικήν. οἱ δὲ θεοὶ τοῖς μὲν ἀδίκοις βαρβάροις κακόνοι ἦσαν, τοῖς δὲ ἀνδρείοις Ἑλληνικοῖς ὁπλίταις λαμπρὰν νίκην ἔνεμον. Μιλτιάδης γάρ, ὁ τῶν Ἀθηναίων στρατηγός, ἐν πεδίῳ τῆς Ἀττικῆς τοὺς Πέρσας ἐκράτησεν.

54. Μετὰ δὲ τὸν Δαρείου θάνατον Ξέρξης, ὁ Δαρείου υἱός, βασιλεὺς ἦν τῆς Ἀσίας. οὗτος οὖν ἀνάριθμον στρατιὰν κατὰ γῆν καὶ κατὰ θάλατταν εἰς τὴν Εὐρώπην ἄγει. καὶ πρῶτον μὲν ἡ τύχη τῷ Ξέρξῃ εὔνους ἦν· ἐκράτησε γὰρ τοὺς Σπαρτιάτας ἐν ταῖς Θερμοπύλαις καὶ ἐντεῦθεν ἐλαύνει εἰς Ἀθήνας. ἔπειτα δὲ μετὰ ὀλίγας ἡμέρας τὸ Ἑλληνικὸν ναυτικὸν ἐπὶ τῷ Σαρονικῷ κόλπῳ δεινῇ ναυμαχίᾳ τὰς τῶν Περσῶν ναῦς φθείρει.

55. Ξέρξης οὖν σὺν ὀλίγοις πιστοῖς στρατιώταις εἰς τὴν Ἀσίαν ἔφευγεν, Μαρδόνιον δὲ τὸν στρατηγὸν σὺν τῷ πεζῷ στρατῷ ἐν τῇ Εὐρώπῃ κατα-λείπει. τῷ δὲ ὑστέρῳ ἐνιαυτῷ τοὺς μὲν τῶν βαρβάρων πεζοὺς Παυσανίας ὁ στρατηγὸς ἐν Πλαταιαῖς ἐκράτησεν, τὸ δὲ ναυτικὸν τῇ αὐτῇ ἡμέρᾳ ἐν Μυκάλῃ ὑπὸ τῶν Ἑλληνικῶν συμμάχων φθείρεται.

THE HELMET OF WATER

GRAMMAR, § 230

56. Ἀλέξανδρός ποτε, τὸ στράτευμα ἄγων πρὸς τοὺς Πέρσας, πολλὰς ἡμέρας ἐλαύνει διὰ χώρας ἐρήμης. τότε δὲ καὶ αὐτὸς καὶ οἱ σὺν αὐτῷ πολλὰ ὑπὸ δίψης ἔπασχον, ὥστε οἱ στρατιῶται οὐκ ἔθελον πορεύεσθαι. ἔνθα δὴ ἔνιοι τῶν γυμνητῶν, μικρόν τι ὕδωρ ἐν κοίλῃ πέτρᾳ ἰδόντες, κόρυν μεστὴν ὕδατος φέρουσι πρὸς τὸν Ἀλέξανδρον. οὗτος δὲ λαμβάνει μὲν τὸ ὕδωρ, οὐ πίνει δέ, ἀλλὰ ἐκ-χεῖ τὴν κόρυν ἐναντίον τῆς στρατιᾶς. καὶ ἰδόντες τὴν τοῦ στρατηγοῦ ἐγκράτειαν, οἱ στρατιῶται ἡδέως πορεύονται καὶ τοὺς ἵππους μάστιξι παίουσιν. ἡδέως γὰρ δίψαν καὶ ἄλλα πήματα ἔπασχον, ἔχοντες ἡγεμόνα οὕτω σώφρονα.

IPHIGENIA AT AULIS

GRAMMAR, §§ 345 and 246

57. Πάρις υἱὸς ἦν Πριάμου τοῦ τῶν Τρώων βασιλέως, καί, εἰς τὴν Ἑλλάδα ἐλθών, τὴν τοῦ Μενελάου γυναῖκα ἥρπασεν. πάντες οὖν οἱ τῶν Ἑλλήνων βασιλεῖς στρατιώτας μυρίους καὶ πλοῖα πολλὰ ἀθροίζουσιν εἰς τὴν Αὐλίδα τῆς Βοιωτίας· ἐβούλευον γὰρ στρατιὰν ἄγειν πρὸς Τροίαν καὶ τὴν πόλιν πορθεῖν. τούτων τῶν στρατευμάτων Ἀγαμέμνων ἦν στρατηγός· οὗτος γὰρ ἰσχυρότατος ἦν πάντων τῶν βασιλέων καὶ πλουσιώτατος.

58. Ἤδη δ' ἦν ἐν Αὐλίδι πᾶν τὸ ναυτικόν, καὶ Ἀγαμέμνων ποτὲ θηρεύων ἔλαφον ἔκτεινεν ἱερὰν τῆς Ἀρτέμιδος καὶ οὕτως τὴν θεὰν ὤργιζεν. πέμπει οὖν Ἄρτεμις ἀνέμους ἐναντίους ὥστε πολὺν χρόνον τὸν τῶν Ἑλλήνων πλοῦν κωλύειν. τέλος δὲ Κάλχας, ὁ μάντις, δεινὸν ἔπος ἀγγέλλει· ἔλεξε γὰρ τόδε·

"θύειν δεῖ τῇ Ἀρτέμιδι τὴν Ἀγαμέμνονος θυγατέρα, Ἰφιγένειαν. εἰ δὲ μή, οὐδέποτε καλοὺς ἀνέμους ἡ Ἄρτεμις πέμψει."

ταῦτα ἀκούσας Ἀγαμέμνων τὴν παρθένον ἐκ τῆς πατρίδος μετ-επέμψατο. ἡδέως δ' ἐκείνη, τὴν μαντείαν οὐ μαθοῦσα, εἰς τὸ στρατόπεδον ἦκεν.

59. Ἐνταῦθα δὲ οἱ βασιλεῖς, πρὸς τὸν βωμὸν ἄγοντες τὴν ἀτυχῆ παρθένον, μέλλουσιν ἤδη θύειν αὐτὴν κατὰ τὸν τοῦ μάντεως λόγον. αὐτίκα δ᾽ ἡ θεὰ ἔλαφον ἀντὶ Ἰφιγενείας ἄγει πρὸς τὸν βωμόν, καὶ τὴν παῖδα ἐν νεφέλῃ φέρει εἰς τὴν Ταυρικὴν Χερρόνησον πρὸς Θόαντα, τὸν τῶν Ταύρων βασιλέα. μετὰ δὲ ταῦτα Ἄρτεμις καλοὺς ἀνέμους ἔπεμψεν, καὶ οἱ Ἕλληνες ἐν ὀλίγαις ἡμέραις εἰς Ἀσίαν ἧκον. ἡ δὲ Ἰφιγένεια ἐν Ταύροις ἔμενεν, καὶ μετὰ πολὺν χρόνον Ὀρέστης, ὁ ἀδελφὸς αὐτῆς, πάλιν εἰς τὴν πατρίδα αὐτὴν ἄγει.

SIMPLETONS

60. 1. Σχολαστικός τις, οἰκίαν πωλῶν, λίθον ἀπ᾽ αὐτῆς εἰς δεῖγμα περι-έφερεν.

2. Σχολαστικός τις, μαθὼν ὅτι ὁ κόραξ ὑπὲρ διακόσια ἔτη ζῇ, ἀγοράσας κόρακα εἰς ἀπόπειραν ἔτρεφεν.

3. Διδύμων ἀδελφῶν εἷς ἐτελεύτησεν. σχολαστικὸς οὖν ἀπ-αντήσας τῷ ζῶντι ἠρώτα·

“σὺ ἀπ-έθανες, ἢ ὁ ἀδελφός σου;”

4. Σχολαστικὸς σχολαστικῷ συν-αντήσας ἔλεξεν·

“ἔμαθον ὅτι ἀπ-έθανες.”

καὶ ἐκεῖνος ἔφη·

"ἀλλ' ὁρᾷς με ἔτι ζῶντα."

καὶ ὁ σχολαστικός·

"καὶ μὴν ὁ εἰπών μοί ἐστι πιστότερός σου."

THE RING OF POLYCRATES

GRAMMAR, §§ **229**, **254**, 6, and **235**, 2

61. Πολυκράτης, ὁ Αἰάκους υἱὸς, τῆς Σάμου βασιλεὺς ἦν καὶ πάντα τὰ πράγματα οὕτως ἦν εὐτυχὴς ὥστε ὁ περὶ αὐτοῦ λόγος ἧκεν εἰς τὴν Ἰωνίαν καὶ τὴν ἄλλην Ἑλλάδα. εἶχεν γὰρ πολλὰς ναῦς καὶ μυρίους στρατιώτας, καὶ πολλῶν μὲν νήσων ἐκράτησε, πολλῶν δὲ τῆς ἠπείρου πόλεων. ταύτην οὖν τὴν εὐτυχίαν γιγνώσκων, Ἄμασις, ὁ Αἰγύπτου βασιλεύς, ξένος αὐτοῦ ὤν, γράψας ἐπιστολὴν εἰς Σάμον ἔπεμψε, τάδε λέγων·

62. "Ἄμασις Πολυκράτει ὧδε λέγει· ἐμοὶ μὲν αἱ σαὶ μεγάλαι εὐτυχίαι οὐκ ἀρέσκουσιν. πᾶς γὰρ ἄνθρωπος, τὰ πάντα εὐτυχήσας, κακῶς τελευτᾷ. φθονεροὶ γάρ εἰσιν οἱ θεοί, καὶ τοὺς εὐτυχεῖς μισοῦσιν. δεῖ οὖν σε ποιῆσαι τάδε· ἐκ πάντων τῶν κτημάτων ἐκ-λέξας τὸ τιμιώτατον, τοῦτο ἀπό-ρριψον εἰς τὴν θάλατταν. οὕτως τοὺς θεοὺς οὐκ ὀργίσεις."

63. Πολυκράτει δὴ τιμιώτατον κτῆμα σφραγίς τις ἦν χρυσῆ ἣν ἔφερεν. καὶ εἰς ναῦν ἀνα-βὰς ἀπο-πλεῖ εἰς τὴν θάλατταν, καὶ ἐνταῦθα τὴν σφραγῖδα ἀπο-ρρίψας εἰς τὸ βάθος, οἴκαδε ἀν-έρχεται. μετὰ δὲ ταῦτα πέμπτῃ ἡμέρᾳ ἧκε μὲν ἀνὴρ ἁλιεὺς εἰς τὰ βασίλεια, ἰχθὺν μέγαν τε καὶ καλὸν φέρων τῷ βασιλεῖ. τῷ δὲ Πολυκράτει ἔλεξε τάδε·

"ὦ βασιλεῦ, τοῦτον τὸν μέγιστον ἰχθὺν οὐκ ἐθέλω εἰς τὴν ἀγορὰν φέρειν. σοῦ γὰρ μόνου ἐστὶν ἄξιος καὶ τῆς σῆς ἀρχῆς. σοὶ οὖν αὐτὸν φέρω."

τοῦτο ἡδέως ἤκουεν ὁ βασιλεύς, καὶ ὧδε τῷ ἀνδρὶ ἔλεξεν·

"χάριν διπλῆν ἔχεις, ὦ ἁλιεῦ, καὶ ἕνεκα τοῦ δώρου καὶ ἕνεκα τῶν λόγων."

64. τότε δὲ ἐπὶ δείπνῳ τινὶ οἱ θεράποντες, τὸν ἰχθὺν τέμνοντες, ἐν τῇ γαστρὶ αὐτοῦ εὑρίσκουσι τὴν τοῦ Πολυκράτους σφραγῖδα, ἣν αὐτίκα τῷ βασιλεῖ ἐκόμισαν. ὁ δὲ θαυμάσας, πάντα τῷ Ἀμάσιδι ἔγραψεν. καὶ Ἄμασις, δεξάμενος τὴν ἐπιστολήν, αὐτίκα κήρυκα εἰς Σάμον ἔπεμψε καὶ τὴν ξενίαν δι-έλυσεν. οὐ γὰρ ἤθελε ξένος εἶναι ἀνδρὶ τοῖς θεοῖς ἐχθρῷ. καὶ μὴν οὐ πολὺν χρόνον ὕστερον ὁ Πολυκράτης πολλὰ πήματα ἔπασχον καὶ τέλος κακῶς ἐτελεύτησεν.

THE OUTLAW

65. Ἄνθρωπόν τις ἀπ-έκτεινε, καὶ ὑπὸ τῶν συγγενῶν διωχθεὶς ἔφευγεν. ἐλθὼν δὲ κατὰ τὸν Νεῖλον ποταμὸν καὶ λύκῳ ἀπ-αντήσας ἐφοβήθη, καὶ ἀνα-βὰς ἐπὶ δένδρον ἐκεῖ ἐκρύπτετο. θεασάμενος δὲ ἔχιν κατ' αὐτοῦ ἐρχόμενον, εἰς τὸν ποταμὸν ἐξ-επήδησεν. ἐν δὲ τῷ ποταμῷ νέων, ὑπὸ κροκοδείλου κατ-εθοινήθη.

ARION

Grammar, §§ 266, 285 and 254, 4

66. Ἀρίονος, τοῦ κιθαρῳδοῦ, ἀνα-χωροῦντός ποτε ἐκ τῆς Σικελίας εἰς Κόρινθον, καὶ τῆς νεὼς οὔσης ἐν μέσῃ τῇ θαλάττῃ, οἱ ναῦται, ἐπι-θυμήσαντες τῶν τοῦ ἀνδρὸς χρημάτων, ἐβουλεύσαντο φονεῦσαι αὐτόν. καὶ τοῦτο δὴ ποιῆσαι ἐπειράσαντο, βάλλοντες τὸν κιθαρῳδὸν εἰς θάλατταν. τοῦτον δέ, ὡς λέγεται, δελφὶς ἐπὶ τὸ νῶτον δεξάμενος, ἀσφαλῶς μετ' αὐτοῦ τὴν θάλατταν ἐπέρασεν. ἐπεὶ δὲ οἱ ναῦται εἰς τὸν αὐτὸν λιμένα ἐπ-ῆλθον, θεασάμενοι Ἀρίονα ἐφοβήθησαν· καὶ οὐ δυνάμε-

νοι ἀρνηθῆναι τὸ ἔργον, ὑπὸ τοῦ βασιλέως τῆς χώρας θανάτῳ ἐζημιώθησαν.

MORE SIMPLETONS

GRAMMAR, § **384**, 2

67. 1. Σχολαστικός τις, ποταμὸν βουλόμενος περᾶσαι, ἀν-ῆλθεν εἰς τὸ πλοῖον ἔφιππος. πυθομένου δέ τινος τὴν αἰτίαν, ἔφη, "σπουδάζω."

2. Σχολαστικὸς ἰδὼν ὄρνιθάς τινας ἐπὶ δένδρου, λάθρᾳ ὑπ-ελθὼν ἔσειε τὸ δένδρον, βουλόμενος οὕτως τὰς ὄρνιθας δέχεσθαι.

3. Σχολαστικός ποτε ἐν χειμῶνι ὤν, καὶ μέλλων ναυαγεῖν, μίαν τῶν ἐν τῇ νηὶ ἀγκυρῶν περιεπλέξατο.

4. Σχολαστικός τις, θέλων εἰδέναι εἰ πρέπει αὐτῷ κοιμᾶσθαι, τοὺς ὀφθαλμοὺς κατα-μύσας πρὸ εἰσόπτρου ἀν-έστη.

5. Σχολαστικός, θέλων τὸν ἵππον αὐτοῦ διδάξαι μὴ τρώγειν πολλά, οὐ παρ-έβαλεν αὐτῷ τροφάς. ἀπο-θανόντος δὲ τοῦ ἵππου λιμῷ, ἔλεγεν· "μέγα ἐζημιώθην. μαθὼν γὰρ μὴ τρώγειν, τότε ἀπ-έθανεν."

THE RETREAT OF THE TEN THOUSAND

(The expedition of Cyrus the Younger against his brother Artaxerxes, king of Persia, set out from Sardis in the spring of 401 B.C., but came to grief at the battle of Cunaxa where Cyrus was killed. The small contingent of Greek troops who had accompanied Cyrus undertook to make their way back by striking out in a northerly direction through the territory of the Carduchi, the Armenians, and the Chalybes. Their goal was the shore of the Euxine Sea, whence they might secure a passage to Greece by ship. This Retreat of the Ten Thousand was attended with incredible hardships and dangers, and its successful accomplishment is one of the greatest exploits of history. Some of the incidents are briefly recounted in the following paragraphs.)

Distress of the Greeks

GRAMMAR, § 230

68. Νῦν οὖν ἐν πολλῇ ἀπορίᾳ ἦσαν οἱ Ἕλληνες. ἀπ-ῆσαν μὲν γὰρ ἀπὸ τῆς πατρίδος μύρια στάδια ἐν τῇ βασιλέως χώρᾳ· κύκλῳ δ' αὐτοῖς πολλὰ ἔθνη καὶ πόλεις πολέμιαι ἦσαν· ποταμοὶ δ' ἦσαν ἀδιάβατοι ἐν μέσῳ τῆς οἴκαδε ὁδοῦ, ἡγεμὼν δὲ ἦν οὐδείς· πολλοὶ δὲ τῶν ἐμπειροτάτων στρατηγῶν δόλῳ ληφθέντες ἐτελεύτησαν, οὐδὲ ἱππέα οὐδένα σύμμαχον εἶχον. ἦν δέ τις ἐν τῇ στρατιᾷ Ξενοφῶν Ἀθηναῖος, ὃς οὔτε στρατηγὸς οὔτε λοχαγὸς ἦν, ἀλλὰ συν-ηκολούθει ξένος ὢν ἑνός τινος τῶν στρατηγῶν. ἐπεὶ οὖν αὕτη ἡ ἀπορία ἦν, συν-ελθόντες τὸν Ξενοφῶντα ἀπ-έδειξαν στρατηγὸν σὺν ἄλλοις τισί, καὶ ἐβουλεύσαντο εἰς τὴν Ἑλλάδα ἀνα-χωρεῖν, μαχόμενοι τοῖς πολεμίοις καὶ τοῖς κινδύνοις ἀνδρείως ἀνθ-ιστάμενοι.

In the Territory of the Carduchians

GRAMMAR, §§ **254**, 6, and **235**, 4

69. Καὶ ἀφ-ίκοντο ἐπὶ τὸν Τίγρητα ποταμόν· πάροδος δὲ οὐκ ἐφαίνετο, ἀλλὰ ὑπὲρ τοῦ ποταμοῦ ἦν τὰ Καρδούχεια ὄρη. ἐδόκει οὖν τοῖς στρατηγοῖς διὰ τῶν ὀρέων δια-βαίνειν καὶ εἰς τοὺς ἐνοίκους ἐμβολὴν ποιεῖσθαι. ἔνθα δὴ Χειρίσοφος μὲν ἡγεῖτο τοῦ στρατεύματος, λαβὼν τοὺς γυμνῆτας πάντας· Ξενοφῶν δὲ σὺν τοῖς ὀπισθοφύλαξιν ὁπλίταις εἵπετο, οὐδένα ἔχων γυμνῆτα· οὐδεὶς γὰρ κίνδυνος ἐδόκει εἶναι ἐκ τοῦ ὄπισθεν. ἀφ-ικόμενοι οὖν ἐπὶ τὸ ἄκρον, κατ-έβησαν εἰς τὰς τῶν Καρδούχων κώμας· οἱ δ' ἔνοικοι τὰς οἰκίας ἐκ-λιπόντες καὶ φυγόντες εἰς τὰ ὄρη, τοῖς τελευταίοις ἐπ-ετίθεντο καί τινας λίθοις καὶ τοξεύμασιν ἀπ-έκτειναν. καὶ ταύτην μὲν τὴν νύκτα οἱ Ἕλληνες ἐν ταῖς κώμαις ηὐλίσθησαν, οἱ δὲ Καρδοῦχοι πυρὰ πολλὰ ἔκαον κύκλῳ ἐπὶ τῶν ὀρέων. καὶ ὕδωρ πολὺ ἦν ἐξ οὐρανοῦ.

At the River Centrites. Peril of the Greeks

Grammar, § 239

70. Ἑπτὰ οὖν ἡμέρας ἐν τοῖς Καρδούχοις δι-ετέλεσαν μαχόμενοι καὶ πολλὰ πάσχοντες, καὶ ἀφ-ίκοντο ἐπὶ τὸν Κεντρίτην ποταμόν, ὃς ὁρίζει τὴν Ἀρμενίαν καὶ τὴν τῶν Καρδούχων χώραν. ἐνταῦθα μὲν ἡδέως ἐκοιμήθησαν. ἅμα δὲ τῇ ἡμέρᾳ ὁρῶσιν ἱππέας πέραν τοῦ ποταμοῦ ἐξ-ωπλισμένους, πεζοὺς δ' ἐπὶ ταῖς ὄχθαις παρα-τεταγμένους. καὶ τοῖς Ἕλλησι δια-βαίνειν πειρωμένοις τὸ ὕδωρ ὑπὲρ τῶν μαστῶν ἐφαίνετο καὶ τραχὺς ἦν ὁ ποταμὸς μεγάλοις λίθοις. ἀν-εχώρησαν οὖν καὶ αὐτοῦ ἐστρατοπεδεύσαντο παρὰ τὸν ποταμόν. εὐθὺς δὲ ἐκ τοῦ ὄπισθεν τοὺς Καρδούχους ἑώρων πολλοὺς συν-ειλεγμένους ἐν τοῖς ὅπλοις. ἐνταῦθα δ' αὐτοῖς ἦν πολλὴ ἀθυμία. ὁρῶσι μὲν γὰρ τοῦ ποταμοῦ δυσπορίαν, ὁρῶσι δὲ τοὺς δια-βαίνειν κωλύσοντας, ὁρῶσι δὲ τοὺς Καρδούχους ὄπισθεν.

Two Young Greeks Discover a Ford

Grammar, §§ 272 and 387, 2

71. ταύτην μὲν οὖν τὴν ἡμέραν καὶ νύκτα ἔμειναν ἐν πολλῇ ἀπορίᾳ ὄντες. τῇ δὲ ὑστεραίᾳ ἀριστῶντι τῷ Ξενοφῶντι προσ-έτρεχον δύο νεα-

νίαι. οὗτοι γὰρ συλ-λέγοντες φρύγανα ἐπὶ πῦρ, κατ-εῖδον ἐν πέτραις πέραν τοῦ ποταμοῦ γέροντά τε καὶ γυναῖκα καὶ παιδίσκας κατα-τιθεμένους μαρσίπους ἱματίων ἐν ἄντρῳ. ἔδοξεν οὖν αὐτοῖς ὁ τόπος ἀσφαλὴς εἶναι δια-βῆναι. καὶ ἐκ-δύντες καὶ τὰ ἐγχειρίδια ἔχοντες, πορευόμενοι εἰς τὸν ποταμὸν δι-έβησαν· καὶ λαβόντες τοὺς τῶν ἱματίων μαρσίπους, πάλιν ἐπ-αν-ῆλθον. ταῦτα οὖν ἔλεγον τῷ Ξενοφῶντι, ὁ δὲ ἀκούσας ἔχαιρεν. τότε δὲ οἱ στρατηγοὶ συν-εβουλεύσαντο, ἔδοξε δ' αὐτοῖς Χειρίσοφον ἡγεῖσθαι καὶ δια-βαίνειν ἔχοντα τὸ ἥμισυ τοῦ στρατεύματος, τὸ δὲ ἥμισυ ἔτι ὑπο-μένειν σὺν τῷ Ξενοφῶντι.

They Cross the Ford into Armenia. A Snow Storm

Grammar, §§ **378**, **274**, 1, and **270**, 1

72. Καὶ εὐθὺς ἐπορεύοντο ἐπὶ τὸν πόρον. ἐνταῦθα Χειρίσοφος μὲν ἐκ-δὺς καὶ τὰ ὅπλα λαβὼν ἐν-έβαινε καὶ οἱ σὺν αὐτῷ. ὁρῶντες δ' αὐτοὺς οἱ Ἀρμένιοι εὐπετῶς τὸ ὕδωρ περῶντας, φεύγουσιν ἀνὰ κράτος. οἱ δὲ Καρδοῦχοι ὡς ἑώρων τοὺς σὺν Ξενοφῶντι ὀλίγους ὄντας, ἤρχοντο σφενδονᾶν καὶ τοξεύειν. ἐπεὶ δ' οὗτοι παιανίσαντες ὥρμησαν δρόμῳ ἐπ' αὐτούς, ἔφευγον εἰς τὰ ὄρη. ἐν τούτῳ σημαίνει ὁ σαλπικτὴς, καὶ οἱ Ἕλληνες, τἀναντία στρέψαντες, δι-έβαινον τὸν ποταμὸν ὡς τάχιστα. ἐντεῦθεν ἐπορεύθησαν διὰ τῆς Ἀρμενίας μέχρι ὑπερ-ῆλθον τὰς πηγὰς τοῦ Τίγρητος ποταμοῦ· καὶ ἀφ-ίκοντο εἰς κώμας πολλὰς πολλῶν τῶν ἐπιτηδείων μεστάς. νυκτερευόντων δ' αὐτῶν ἐπι-πίπτει χιὼν ἄπλετος ἣ ἀπ-εκρύψατο καὶ τὰ ὅπλα καὶ τοὺς ἀνθρώπους· καὶ πολὺς ὄκνος ἦν ἀν-ίστασθαι· ἀλεεινὸν γὰρ αὐτοῖς ἦν ἡ χιών.

They Reach a Cluster of Villages and Are Cordially Received

GRAMMAR, §§ 273 and 262, 2

73. Ἐντεῦθεν ἐπορεύθησαν διὰ χιόνος πολλῆς καὶ ἄνεμος βορρᾶς ἐναντίος ἔπνει. ἦν δὲ τῆς χιόνος τὸ βάθος ὀργυιά, ὥστε τῶν ὑποζυγίων πολλὰ ἀπ-ώλετο καὶ τριάκοντα τῶν στρατιωτῶν. καὶ ἑσπέρα μὲν ἦν, ἀφ-ικνοῦνται δὲ πρὸς κώμας, καὶ ἔμπροσθεν τοῦ ἐρύματος κατα-λαμβάνουσι γυναῖκας καὶ κόρας ἐκ κρήνης ὕδωρ φερούσας. σὺν αὐταῖς οὖν συν-έρχονται εἰς τὴν κώμην πρὸς τὸν κωμάρχην, καὶ ἐνταῦθα ἐστρατοπεδεύσαντο. τούτων τῶν κωμῶν αἱ μὲν οἰκίαι ἦσαν κατάγειοι καὶ οἱ ἔνοικοι κατ-έβαινον ἐπὶ κλίμακος. ἐν δὲ ταῖς οἰκίαις ἦσαν πυροὶ καὶ κριθαὶ καὶ ὄσπρια καὶ οἶνος ἐν κρατῆρσιν. ὁ δὲ κωμάρχης φιλο-φρονού-μενος ἑκάστῳ τῶν στρατηγῶν ἔδωκεν πῶλον, καὶ αὐτοὺς διδάσκει σακία περι-ειλεῖν περὶ τοὺς τῶν ἵππων πόδας· οὕτως δὴ ἄγειν τοὺς ἵππους διὰ τῆς χιόνος δύνανται· ἄνευ γὰρ τῶν σακίων κατα-δύονται μέχρι τῆς γαστρός.

Among the Taochians. Capture of a Fortress by Stratagem

GRAMMAR, §§ **241**, 1, and **308**, 2

74. Ἐκ δὲ τούτου ἐπορεύθησαν εἰς τὴν τῶν Ταόχων χώραν, ἀφ-ίκοντο δὲ πρὸς χωρίον ἐν ᾧ ἦσαν ἄνδρες πολλοὶ καὶ γυναῖκες καὶ κτήνη. καὶ πρὸς τοῦτο ἐβούλοντο προσ-βάλλειν. μία μὲν μόνον πάροδος ἦν. ἐπεὶ δὲ ταύτῃ ἐπειράσαντο παρ-ιέναι, κυλινδοῦσιν οἱ πολέμιοι λίθους ὑπὲρ τῆς ὑπερ-εχούσης πέτρας, ὥστε πολλοὶ τῶν στρα-τιωτῶν ἀπο-θνῄσκουσιν. τῇδε οὖν τῇ μηχανῇ ἐχρήσαντο. ἡ μὲν πάροδος σχεδὸν τρία ἡμίπλε-θρα ἦν· τούτου δὲ πλέθρον δασὺ ἦν δένδροις μεγάλοις ἀνθ' ὧν ἑστηκότες οἱ στρατιῶται οὐδὲν ἔπασχον ὑπὸ τῶν λίθων. τότε δὲ προύτρεχέ τις δύο ἢ τρια βήματα ἀπὸ τοῦ δένδρου ὑφ' ᾧ ἦν, τῶν δὲ λίθων κυλινδουμένων, ἀν-εχάζετο εὐπετῶς. ἐφ' ἑκάστης δὲ προδρομῆς πλέον ἢ δέκα ἅμαξαι λίθων κυλινδοῦνται. οὕτως οὖν πάντας τοὺς λίθους οἱ πολέμιοι ἀν-αλίσκουσι, καὶ οὐδὲν κωλύει τοὺς Ἕλληνας αἱρεῖν τὸ χωρίον.

Despair of the Inhabitants

Grammar, §§ **340** and **265, 1**

75. Ἐνταῦθα δὴ δεινὸν ἦν θέαμα· αἱ γὰρ γυναῖκες ῥίπτουσαι τὰ παιδία ὑπὲρ τῆς πέτρας εἶτα ἑαυτὰς ἐπι-κατ-ερρίπτουν, καὶ οἱ ἄνδρες ὡσαύτως. ἐνταῦθα δὴ καὶ λοχαγός τις τῶν Ἑλλήνων, ἰδών τινα μέλλοντα ἑαυτὸν ῥίπτειν, ἐπ-ελαμβάνετο ἵνα αὐτὸν κωλύοι. ὁ δὲ τὸν λοχαγὸν ἐπι-σπᾶται ὥστε ἀμφότεροι ᾤχοντο κατὰ τῆς πέτρας φερόμενοι καὶ ἀπ-έθανον. ἐντεῦθεν δι-ῆλθον διὰ Σκυθηνῶν πρὸς πόλιν μεγάλην καὶ εὐδαίμονα καὶ οἰκουμένην, ἣ ἐκαλεῖτο Γυμνιάς. ἐκ ταύτης τῆς χώρας ὁ ἄρχων τοῖς Ἕλλησιν ἡγεμόνα ἔπεμψεν ἵνα ἄγοι αὐτοὺς διὰ τῆς ὁμόρου χώρας, ἣ πολεμία ἦν τῷ ἄρχοντι. ἐλθὼν δ' ὁ ἡγεμὼν λέγει ὅτι ἄξει αὐτοὺς πέντε ἡμέρων εἰς ὄρος τι ὅθεν ὄψονται τὴν θάλατταν.

The Greeks Arrive at the Euxine Sea

Grammar, §§ 254, 2, and 377

76. Καὶ τῇ πέμπτῃ ἡμέρᾳ ἐπὶ τὸ ὄρος ἀφ-ικνοῦνται· ὄνομα δὲ αὐτῷ ἦν Θήκης. ἐπεὶ δ' οἱ πρῶτοι ἐγένοντο ἐπὶ τοῦ ἄκρου, κραυγὴ πολλὴ ἐγένετο· ἀκούσας δὲ ὁ Ξενοφῶν ᾠήθη πολεμίους τινὰς ἐπιτίθεσθαι. ἐπειδὴ δ' ἡ βοὴ μείζων ἐγίγνετο, ἀναβὰς ἐφ' ἵππον καὶ τοὺς ἱππέας λαβὼν ἐβοήθει. καὶ τάχα δὴ ἀκούουσι βοώντων τῶν στρατιωτῶν, "Θάλαττα, Θάλαττα." ἔνθα δὴ ἔθεον πάντες, καὶ ἐπεὶ ἀφ-ίκοντο ἐπὶ τὸ ἄκρον, ἐνταῦθα δὴ περι-έβαλλον ἀλλήλους καὶ στρατηγοὺς καὶ λοχαγοὺς δακρύοντες. καὶ ἐξαπίνης οἱ στρατιῶται φέρουσι λίθους καὶ ποιοῦσι κολωνὸν μέγαν. μετὰ ταῦτα τὸν ἡγεμόνα ἀπο-πέμπουσι δῶρα δόντες, ἵππον καὶ φιάλην ἀργυρᾶν καὶ σκευὴν Περσικὴν καὶ δαρεικοὺς δέκα. καὶ ἐντεῦθεν πορευθέντες ἦλθον ἐπὶ θάλατταν εἰς Τραπεζοῦντα, πόλιν Ἑλληνίδα οἰκουμένην ἐν τῷ Εὐξείνῳ Πόντῳ.

VOCABULARY

In this vocabulary the principal parts of regular verbs, except the future, are not given; the student should be made to form them for himself according to the rules laid down in the *Grammar*, §§ 137 to 150. Except in the case of very common words, the principal parts of irregular verbs and verbs in *μι* are omitted, and in no case are the principal parts of a compound verb inserted if the simple verb occurs elsewhere in the vocabulary.

No reference has been made to English derivatives; greater interest may be aroused by encouraging the student to discover them for himself.

The numeral references in the vocabulary indicate sections in Connell's *Short Grammar of Attic Greek.*

A

Ἀγαμέμνων, *ονος*, ὁ, *Agamemnon.*

ἀγγέλλω, ἀγγελῶ, etc., *bring news, report.*

ἄγγελος, ου, ὁ, *messenger.*

ἄγκυρα, ας, ἡ, *anchor.*

ἀγορά, ᾶς, ἡ, *market-place, market.*

ἀγοράζω, ἀγοράσω, etc., *buy.*

ἄγριος, α, ον, *wild.*

ἄγω, irreg. vb., *lead, drive.*

ἄγων, pres. part., nom. sing. of ἄγω, *leading, driving.*

ἀγών, ῶνος, ὁ, *contest, games.*

ἀδελφός, οῦ, ὁ, *brother.*

ἀδιάβατος, ον, *not fordable.*

ἀδικία, ας, ἡ, *injustice.*

ἄδικος, ον, *unjust.*

ἀεί, adv., *always.*

Ἀθῆναι, ῶν, αἱ, *Athens.*

Ἀθηναῖος, α, ον, *Athenian.*

ἀθροίζω, ἀθροίσω, etc., *collect, assemble.*

Αἰακός, οῦ, ὁ, *Aeacus.*

Αἴγυπτος, ου, ἡ, *Egypt.*

Αἰθίοψ, οπος, ὁ, *an Ethiopian.*

αἷμα, ατος, τό, *blood.*

αἴξ, αἰγός, ὁ, ἡ, *goat.*

αἱρέω, αἱρήσω, εἷλον, ᾕρηκα, ᾕρημαι, ᾑρέθην, *take, capture.*

αἰσχίων, ον, comp. of αἰσχρός. 89.

αἰσχρός, ά, όν, *shameful, base.*

αἰσχύνη, ης, ἡ, *shame, disgrace.*

αἰτία, ας, ἡ, *cause, blame.*

αἴτιος, α, ον, *causing, responsible.*

ἀκούω, ἀκούσομαι, ἤκουσα, ἀκήκοα, ἠκούσθην, *hear, listen to.* **254**, 2.

ἄκρος, α, ον, *highest.* τὸ ἄκρον, *the summit.*

ἀλεεινός, ή, όν, *warm, comfortable.*

Ἀλέξανδρος, ου, ὁ, *Alexander.*

ἀλήθεια, ας, ἡ, *truth.*

ἀληθής, ές, *true.*

ἁλιεύς, έως, ὁ, *fisherman.*

ἀλλά, conj., *but.* At beginning of a speech often to be translated by *well* or *however.*

ἀλλήλων, *of one another.* **115.**

ἄλλος, η, ο, *other, another.* **285.**

ἅλς, ἁλός, ἡ, *sea.*

ἅμα, adv., *at the same time, together.* ἅμα τῇ ἡμέρᾳ, *at daybreak.*

ἅμαξα, ης, ἡ, *wagon.*

Ἄμασις, ιος, ὁ, *Amasis.*

ἀμείνων, ον, comp. of ἀγαθός, *better.* **91.**

ἀμφότεροι, αι, α, *both.*

ἀνά, prep. w. acc., *up, over, throughout.* ἀνὰ κράτος, *at full speed.*

ἀνα-βαίνω, *go up, go aboard, mount.*

ἀνα-βάς, 2 aor. part. of ἀναβαίνω, *having gone up, having mounted.*

ἀναλίσκω, irreg. vb., *exhaust.*

ἀνάριθμος, ον, *countless.*

ἀνα-χάζομαι, άσομαι, *retreat.*

ἀνα-χωρέω, ήσω, etc., *retire, move back.*

ἀνδρεῖος, α, ον, *brave.*

ἀνδρείως, adv., *bravely.*

ἄνεμος, ου, ὁ, *wind.*

ἀν-έρχομαι, *return, go up, go aboard.*

ἀν-έστη, 3 sing. 2 aor. ind. of ἀν-ίστημι, *he stood up, rose.*

ἄνευ, improp. prep. w. gen., *without.*

ἀν-ῆλθεν, 3 sing. 2 aor. ind. of ἀν-έρχομαι, *he went up, went aboard.*

ἀνήρ, ἀνδρός, ὁ, *man.* **51.**

ἀνθ-ιστάμενος, pres. part. mid. of ἀνθ-ίστημι, *resisting.* **235**, 2.

ἄνθος, ους, τό, *flower.*

ἀν-ίστασθαι, pres. inf. mid. of ἀν-ίστημι, *to stand up, rise.*

ἄνομος, ον, *lawless.*

ἀντί, prep. w. gen., *in place of, behind.*

ἄντρον, ου, τό, *cave.*

ἄξιος, α, ον, *worthy, worth.* **262**, 1.

ἀξιόω, ώσω, etc., *think fit, ask.*

ἀπ-αντάω, ἀντήσομαι, ἤντησα, ἤντηκα, *meet.*

ἀπ-έδειξαν, 3 plur. 1 aor. act. of ἀπο-δείκνυμι, *they appointed.*

ἄπ-ειμι, ἔσομαι, *be away.* **130.**

ἀπ-έθανες, 2 sing. 2 aor. act. of ἀπο-θνῄσκω, *you died.*

ἀπ-έκτεινε, 3 sing. 1 aor. act. of ἀπο-κτείνω, *he killed.*

ἀπ-έκτειναν, 3 plur. 1 aor. act. of ἀπο-κτείνω, *they killed.*

ἄπιστος, ον, *untrustworthy.*

ἄπλετος, ον, *immeasurable.*

ἀπό, prep. w. gen., *from, away from.* ἀπὸ ἵππου, *on horseback.*

ἀπο-θανόντος, 2 aor. part. gen. sing. of ἀπο-θνῄσκω, *having died.*

ἀπο-θνῄσκω, irreg. vb., *die, be killed.*

ἀπο-κρύπτω, κρύψω, etc., *hide, cover.*

ἀπόπειρα, ας, ἡ, *trial, experiment.* εἰς ἀπόπειραν, *for a trial.*

ἀπο-πέμπω, *send away.*

ἀπο-πλεῖ, 3 sing. pres. ind. of ἀπο-πλέω, *he sails away.*

ἀπορία, ας, ἡ, *perplexity, distress.*

ἀπο-στέλλω, *send away.*

ἀπο-φεύγω, *flee from.*

ἀπ-ώλετο, 3 sing. 2 aor. ind. of ἀπ-όλλυμι, *was killed, perished.*

ἀργυροῦς, ᾶ, οῦν, *of silver.* **61**, 2.

ἀρέσκω, ἀρέσω, ἤρεσα, ἠρέσθην, *please.* **235**, 2.

ἀρετή, ῆς, ἡ, *virtue.*

ἀριστάω, ήσω, etc., *take breakfast.*

Ἀρίων, ονος, ὁ, *Arion.*

ἅρμα, ατος, τό, *war chariot.*

Ἀρμενία, ας, ἡ, *Armenia.*

Ἀρμένιος, α, ον, *Armenian.*

ἀρνέομαι, ἀρνήσομαι, ἠρνήθην, *deny.*

Ἀρταξέρξης, ου, ὁ, *Artaxerxes.*

Ἄρτεμις, ιδος, ἡ, *Artemis.*

ἀρχή, ῆς, ἡ, *beginning, sovereignty, rule.*

ἄρχω, ἄρξω, etc., *take the lead, rule over.* In the middle, *begin.* **254**, 4.

ἄρχων, οντος, ὁ, *ruler.*

ἀσεβής, ές, *irreverent, impious.*

Ἀσία, ας, ἡ, *Asia.*

ἀσπίς, ίδος, ἡ, *shield.*

ἄστυ, εως, τό, *city, town.* **49**, 3.

ἀσφαλής, ές, *safe.*

ἀσφαλῶς, adv., *safely.*

Ἀττική, ῆς, ἡ, *Attica.*

αὐλίζομαι, ηὐλισάμην, ηὐλίσθην, *pass the night, bivouac.*

αὐτίκα, adv., *immediately.*

αὐτοῦ, adv., *here, there.*

ἀφανής, ές, *invisible, unseen.*

ἀφ-ικνέομαι, -ίξομαι, -ικόμην, -ῖγμαι, *come, arrive.*

ἀφ-ικόμενος, 2 aor. part. of ἀφ-ικνέομαι, *having come.*

ἀφ-ίκοντο, 3 plur. 2 aor. ind. of ἀφ-ικνέομαι, *they came.*

ἄφρων, ον, gen. ονος, *foolish.*

B

βάθος, ους, τό, *depth.*

βαθύς, εῖα, ύ, *deep.*

βαίνω, *βήσομαι, ἔβην, βέβηκα, go.*

βάλλω, *βαλῶ, ἔβαλον, βέβληκα, βέβλημαι, ἐβλήθην, throw, hit.*

βάρβαρος, *ον, foreign, not Greek.* ὁ *βάρβαρος, the barbarian.*

βαρύς, *εῖα, ύ, heavy, grievous.*

βασίλεια, *ων, τά, palace.*

βέβαιος, *α, ον, firm, trusty.*

βελτίων, *ον*, comp. of *ἀγαθός, better.* **91.**

βῆμα, *ατος, τό, step.*

βίος, *ου, ὁ, life.*

βλάπτω, *βλάψω*, etc., *injure.*

βοάω, *βοήσομαι, ἐβόησα, shout.*

βοή, *ῆς, ἡ, shout, cry.*

βοηθέω, *βοηθήσω*, etc., *help, assist.*

Βοιωτία, *ας, ἡ, Boeotia.*

βορρᾶς, *ᾶ, ὁ, the north wind.* **31.**

βουλεύω, *βουλεύσω*, etc., *plan.* In the mid., *deliberate, decide.*

βούλομαι, irreg. vb., *wish, desire.*

βραχύς, *εῖα, ύ, short.*

βωμός, *οῦ, ὁ, altar.*

Γ

γάρ, conj., *for.*

γαστήρ, *τρός, ἡ, belly.* **52, 1.**

γένος, *ους, τό, race, family.*

γέρων, *οντος, ὁ, old man.*

γέφυρα, *ας, ἡ, bridge.*

γῆ, *γῆς, ἡ, earth, land, country.*

γίγνομαι, irreg. vb., *be, become, take place.*

γιγνώσκω, irreg. vb., *understand, know.*

γλυκύς, *εῖα, ύ, sweet.*

γλῶττα, *ης, ἡ, tongue.*

γράφω, *γράψω*, etc., *write.*

γυμνής, *ῆτος, ὁ, light-armed soldier.*

Γυμνιάς, *άδος, ἡ, Gymnias.*

γυναῖκα, acc. sing. of **γυνή**, *woman.* **54.**

γυνή, *γυναικός, ἡ, woman.* **54.**

Δ

δαίμων, *ονος, ὁ, god, divinity.*

δακρύω, *ύσω*, etc., *weep.*

δαρεικός, *οῦ, ὁ, daric.* (About $5.40.)

Δαρεῖος, *ου, ὁ, Darius.*

δασύς, *εῖα, ύ, thick, shaggy.*

δέ, conj., *but, and.*

δεῖ, *δεήσει, ἐδέησε*, impers. vb., *it is necessary* or *proper.* With acc. and inf., *one must, ought.* **235**, 5, a.

δεῖγμα, *ατος, τό, specimen, sample.* **εἰς** *δεῖγμα, for* or *as a sample.*

δεινός, *ή, όν, terrible, clever.*

δέκα, indecl., *ten.*

δελφίς, *ῖνος, ὁ, dolphin.*

δένδρον, *ου, τό, tree.*

δεσπότης, *ου, ὁ, master, ruler.*

δέχομαι, *δέξομαι, ἐδεξάμην, δέδεγμαι, receive, catch.*

δή, particle, *indeed.*

δηλόω, δηλώσω, etc., *show*, *make clear*.

διά, prep. w. gen. and acc. With gen., *through*, *by means of*; with acc., *on account of*.

δια-βαίνω, *go through*, *cross*.

δια-βῆναι, 2 aor. inf. of δια-βαίνω, *to cross*.

διακόσιοι, αι, α, *two hundred*.

δια-λύω, λύσω, etc., *break off*, *dissolve*.

δι-αρπάζω, ἁρπάσω, etc., *plunder*.

δια-τελέω, τελῶ, etc., *continue*. **142**, 3.

διδάξαι, aor. inf. act. of διδάσκω, *to teach*.

δίδυμοι, ων, οἱ, *twins*.

δι-έβησαν, 3 plur. 2 aor. ind. of δια-βαίνω, *they crossed*.

δι-έρχομαι, *go through*.

δι-ῆλθον, 3 plur. 2 aor. ind. of δι-έρχομαι, *they went through*.

δίκαιος, α, ον, *just*.

διπλοῦς, ῆ, οῦν, *double*. **61**, 1.

δίψα, ης, ἡ, *thirst*.

διώκω, διώξω, etc., *pursue*.

διῶρυξ, υχος, ἡ, *ditch*, *canal*.

δοκέω, δόξω, ἔδοξα, δέδογμαι, ἐδόχθην, *seem good*, *decide*.

δόλος, ου, ὁ, *craft*.

δόντες, 2 aor. part. nom. plur. of δίδωμι, *having given*.

δουλεύω, δουλεύσω, etc., *be a slave*.

δρόμος, ου, ὁ, *a running*, *race*. δρόμῳ, *on the run*.

δύναμαι, irreg. vb., *be able*.

δυνάμενος, pres. part. of δύναμαι, *being able*.

δύναμις, εως, ἡ, *strength*, *force*, *troops*.

δύνανται, 3 plur. pres. ind. of δύναμαι, *they are able*.

δυνάστης, ου, ὁ, *a nobleman*.

δύο, δυοῖν, *two*. **93**.

δυσπορία, ας, ἡ, *difficulty* (of crossing a river).

δῶρον, ου, τό, *gift*.

E

ἐγένετο, 3 sing. 2 aor. of γίγνομαι, *was*, *occurred*.

ἐγκράτεια, ας, ἡ, *self-control*.

ἐγχειρίδιον, ου, τό, *dagger*.

ἔδοξε, see δοκέω.

ἔδωκεν, 3 sing. 1 aor. act. of δίδωμι, *he gave*. **185**, b.

ἤθελον, 3 plur. imperf. of θέλω; see ἐθέλω, *they were willing*.

ἐθέλω (or θέλω), ἐθελήσω, etc., *am willing*.

ἔθνος, ους, τό, *nation*.

εἰ, conj., *if*. In ind. quest., *whether*. εἰ δὲ μή, *but if not*, *otherwise*.

εἰδέναι, perf. inf. of οἶδα, *to know*. **200**.

εἶπον, 3 plur. 2 aor. of irreg. defect. vb., *they said*.

εἰπών, 2 aor. part. of irreg. defect. vb., *having said.*

εἰς, prep. w. acc., *into, for the purpose of.*

εἷς, μία, ἕν, *one.* **93.**

εἰς-ελαύνω, *march into.*

εἴσοπτρον, ου, τό, *mirror.*

εἶτα, adv., *then.*

εἶχε, 3 sing. imperf. of ἔχω, *he had.* **123**, 2, c.

ἐκ, prep. w. gen., see ἐξ.

ἔκαον, 3 plur. imperf. of κάω or καίω, *they kept lighted* (a fire).

ἕκαστος, η, ον, *each, every one.*

ἐκ-βάλλω, *cast out.*

ἐκ-δύντες, nom. plur. 2 aor. act. part. of ἐκ-δύω, *having stripped.*

ἐκ-δύς, nom. sing. of the preceding.

ἐκεῖ, adv., *there.*

ἐκ-λέγω, λέξω, ἔλεξα, εἴλοχα, εἴλεγμαι, ἐλέγην, *select, choose from.*

ἐκ-λείπω, *leave, abandon.*

ἐκ-πηδάω, πηδήσομαι, etc., *leap out.*

ἐκράτησε, 3 sing. aor. of κρατέω, *he ruled over, conquered.*

ἐκ-χέω, *pour out, empty.*

ἐλαύνω, irreg. vb., *drive, ride, march.*

ἔλαφος, ου, ὁ, ἡ, *deer.*

ἔλεξε, 3 sing. aor. of λέγω, *he said.*

ἐλεύθερος, α, ον, *free.*

ἐλθών, 2 aor. part. of **ἔρχομαι**, *having come.*

Ἑλλάς, άδος, ἡ, *Greece.*

Ἕλλην, ηνος, ὁ, *a Greek.*

Ἑλληνικός, ή, όν, *Greek.*

Ἑλληνίς, ίδος, fem. adj., *Grecian.*

ἐλπίς, ίδος, ἡ, *hope.*

ἔμαθον, 1 sing. 2 aor. of **μανθάνω**, *I learned, heard.*

ἐμ-βαίνω, *go into, embark.*

ἐμβολή, ῆς, ἡ, *inroad.*

ἔμειναν, 3 plur. aor. of **μένω**, *they remained.*

ἔμπειρος, ον, *skilled.*

ἔμπροσθεν, adv. w. gen., *in front of.* **262**, 2.

ἐν, prep. w. dat., *in, among, by.* ἐν τοῖς ὅπλοις, *under arms.*

ἐναντίον, adv. w. gen., *in the presence of.* **262**, 2.

ἐναντίος, α, ον, *opposite, in one's face, contrary.*

ἕνεκα, improp. prep. w. gen., *on account of.*

ἔνθα, adv., *there, then.*

ἐνιαυτός, οῦ, ὁ, *year.*

ἔνιοι, αι, α, *some.*

ἐν-οικέω, *live in, inhabit.*

ἐνταῦθα, adv., *there.*

ἐντεῦθεν, adv., *thence.*

ἐξ, ἐκ, prep. w. gen., *from.* **9**, 3.

ἐξαπίνης, adv., *suddenly.*

ἐξ-οπλίζω, ὁπλίσω, etc., *arm.*

ἐξ-ωπλισμένος, perf. part. mid., *fully armed.*

ἐπ-αν-ῆλθον, 3 plur. 2 aor. of ἐπ-αν-έρχομαι, *they returned.*

ἐπεί, conj., *when, since.*

ἐπειδή, conj., *when, since.*

ἔπειτα, adv., *then, secondly.*

ἐπ-έρχομαι, *come to.*

ἐπ-ετίθεντο, 3 plur. imperf. ind. mid. of ἐπι-τίθημι, *they began to attack.* **235**, 6.

ἐπί, prep. w. gen., dat., and acc. With gen., *on, at;* with dat., *at, near;* with acc., *upon, on to, for the purpose of.*

ἐπι-θυμέω, θυμήσω, etc., *desire.* **254**, 4.

ἐπι-κατα-ρίπτω, *hurl down after.*

ἐπι-λαμβάνω, *take in.* Mid., *catch hold.*

ἐπι-πίπτω, *fall upon.*

ἐπι-σπάω, σπάσω, etc., *draw to.* Mid., *pull along with.*

ἐπιστολή, ῆς, ἡ, *letter, epistle.*

ἐπιτήδεια, ων, τά, *provisions.*

ἐπι-τίθεσθαι, pres. inf. mid. of ἐπι-τίθημι, *to attack.* **235**, 6.

ἕπομαι, irreg. vb., imperf. εἱπόμην, *follow.* **235**, 4.

ἔπος, ους, τό, *word.*

ἑπτά, *seven.*

ἔργον, ου, τό, *work.*

ἔρημος, η, ον, *desert.*

ἔρχομαι, ἦλθον, ἐλήλυθα, *come, go.*

ἐρωτάω, ἐρωτήσω, etc., *ask, inquire.*

ἑστηκότες, nom. plur. perf. part. of ἵστημι, *standing.* **195**, 5.

ἔτι, adv., *still.*

ἔτος, ους, τό, *year.*

εὐδαίμων, ον, *fortunate, happy.*

εὐθύς, adv., *immediately.*

εὔνους, ουν, *well-disposed.*

Εὔξεινος Πόντος, ὁ, *Euxine Sea.*

εὐπετῶς, adv., *easily.*

εὑρίσκω, irreg. vb., *find.*

εὖρος, ους, τό, *breadth.*

εὐρύς, εῖα, ύ, *broad.*

Εὐρώπη, ης, ἡ, *Europe.*

εὐσεβής, ές, *pious.*

εὐτυχέω, εὐτυχήσω, etc., *prosper.*

εὐτυχής, ές, *prosperous.*

εὐτυχία, ᾶς, ἡ, *prosperity.*

ἔφη, 3 sing. imperf. of φημί, *he said.*

ἔφιππος, ον, *on horseback.*

ἐχθρός, ά, όν, *hostile.*

ἔχις, εως, ὁ, *viper.*

ἔχοντες, nom. plur. pres. part. of ἔχω, *having.*

ἔχω, irreg. vb., *have, hold.*

ἑώρων, 3 plur. imperf. act. of ὁράω, *they saw.*

Z

ζάω, ζήσω, *live.*

ζεύγνυμι, ζεύξω, ἔζευξα, ἔζευγμαι, ἐζεύχθην, *join.*

ζῇ, 3 sing. pres. ind. of *ζάω*, *he lives.* **162**, 1.

ζημιόω, *ζημιώσω*, etc., *punish.*

ζητέω, *ζητήσω*, etc., *seek*, *ask for.*

ζῶν, *ζῶσα*, *ζῶν*, pres. part. of *ζάω*, *living.* **84**.

H

ἤ, conj., *than.*

ἡγεμών, όνος, ὁ, *leader*, *guide.*

ἡγέομαι, *ἡγήσομαι*, etc. With gen., *lead*; with dat., *guide.* **254**, 6.

ἡδέως, adv., *gladly.*

ἤδη, adv., *already.*

ἡδονή, ῆς, ἡ, *pleasure.*

ἡδύς, εῖα, ύ, *sweet.*

ἦθος, ους, τό, *habit*, *custom.*

ἥκω, *ἥξω*, *come.*

ἡμέρα, ας, ἡ, *day.*

ἡμίπλεθρον, *half a plethron.* (50 feet.)

ἥμισυς, εια, υ, *half.* *ἥμισυ*, used as noun, *half.*

ἤπειρος, ου, ἡ, *mainland.*

ἠρώτα, 3 sing. imperf. act. of *ἐρωτάω*, *he asked.*

ἥσυχος, ον, *still*, *quiet.*

Θ

θάλαττα, ης, ἡ, *sea.* *κατὰ θάλατταν*, *by sea.*

θάνατος, ου, ὁ, *death.*

θάττων, ον, comp. of *ταχύς*, *swifter.* **91**.

θαυμάζω, *θαυμάσω*, etc., *admire.*

θεά, ᾶς, ἡ, *goddess.*

θέαμα, ατος, τό, *spectacle.*

θεάομαι, *θεάσομαι*, etc., *behold.*

θέλω, see *ἐθέλω*.

θεός, οῦ, ὁ, *god.*

θεράπων, οντος, ὁ, *servant.*

Θερμοπύλαι, ῶν, αἱ, *Thermopylae.*

θέρος, ους, τό, *summer.*

θέω, *θεύσομαι*, *run.*

θηρεύω, *θηρεύσω*, etc., *hunt.*

θησαυρός, οῦ, ὁ, *treasure.*

Θήχης, ου, ὁ, *Theches.*

θύρα, ας, ἡ, *door.*

θύω, *θύσω*, etc., *sacrifice.*

θώραξ, ακος, ὁ, *breastplate.*

I

ἰδών, οῦσα, όν, 2 aor. part. of *ὁράω*, *having seen.*

ἱερεύς, έως, ὁ, *priest.*

ἱερός, ά, όν, *sacred.*

ἱκανός, ή, όν, *sufficient.*

ἱμάτια, ων, τά, *clothes.*

ἵνα, conj., *in order that.*

ἱππεύς, έως, ὁ, *horseman.*

ἵππος, ου, ὁ, *horse.*

ἰσχυρός, ά, όν, *strong.*

ἰσχύς, ύος, ἡ, *strength.*

ἰχθύς, ύος, ὁ, *fish.*

K

καθαίρω, *καθαρῶ*, etc., *cleanse*, *purify.*

καί, conj., *and*, *also.* *καί* . .

καί, *both . . . and.* καὶ μήν, *and yet.*

κακόνους, ουν, *ill-disposed.*

κακός, ή, όν, *bad.*

κακῶς, adv., *badly, miserably.*

καλέω, καλῶ, ἐκάλεσα, κέκληκα, κέκλημαι, ἐκλήθην, *call, name.*

κάλλιστα, adv., superl. of καλῶς, *most beautifully.*

καλός, ή, όν, *beautiful, favorable.*

Κάλχας, αντος, ὁ, *Calchas.*

κάμνω, irreg. vb., *work, be weary, suffer.*

Καρδούχειος, α, ον, *Carduchian.*

Καρδοῦχος, ου, ὁ, *a Carduchian.*

καρπός, οῦ, ὁ, *fruit.*

κατά, prep. w. gen. and acc. With gen., *down, towards;* with acc., *near, opposite, according to.* κατὰ γῆν καὶ κατὰ θάλατταν, *by land and sea.*

κατα-βαίνω, *descend.*

κατάγειος, ον, *underground.*

κατα-δύω, *cause to sink.* Mid., *sink down.*

κατα-θοινάω, θοινήσω, etc., *devour.*

κατα-κόπτω, κόψω, etc., *cut to pieces.*

κατα-λαμβάνω, *seize, overtake.*

κατα-λείπω, *leave behind.*

κατα-μύω, μύσω, etc., *shut* (the eyes).

κατα-τιθέμενος, pres. part. mid. of κατα-τίθημι, *putting away.*

καταφανής, ές, *visible.*

κατ-έβησαν, 3 plur. 2 aor. ind. of κατα-βαίνω, *they went down.*

κατ-εῖδον, 3 plur. 2 aor. ind. of καθ-οράω, *they observed.*

κελεύω, κελεύσω, etc., *command*

Κεντρίτης, ου, *the Centrites.*

κέρας, κέρατος and κέρως, **τό**, *horn.* **54**.

κέρδος, ους, τό, *gain.*

κεφαλή, ῆς, ἡ, *head.*

κῆρυξ, υκος, ὁ, *herald.*

κιθαρῳδός, οῦ, ὁ, *minstrel.*

κινδυνεύω, κινδυνεύσω, etc., *be in danger, run a risk.*

κίνδυνος, ου, ὁ, *danger, risk.*

κλῖμαξ, ακος, ἡ, *ladder.*

κλώψ, ωπός, ὁ, *thief.*

κοῖλος, η, ον, *hollow.*

κοιμάω, κοιμήσω, etc., *put to sleep.* Mid. and pass., *sleep.*

κοινός, ή, όν, *common, shared by all.*

κόλπος, ου, ὁ, *gulf* or *bay.*

κολωνός, οῦ, ὁ, *heap* (of stones).

κομίζω, κομιῶ, etc., *bring.* **148**, 2.

κόπτω, κόψω, etc., *cut.*

κόραξ, ακος, ὁ, *raven, crow.*

κόρη, ης, ἡ, *maiden, girl.*

Κόρινθος, ου, ἡ, *Corinth.*

κόρυς, υθος, ἡ, *helmet.*

κοσμέω, κοσμήσω, etc., *decorate.*

κρατέω, κρατήσω, etc. With gen., *rule over;* with acc., *conquer.*

κραυγή, ῆς, ἡ, *shout.*
κρήνη, ης, ἡ, *well, spring.*
κριθή, ῆς, ἡ, *barley.*
κριτής, οῦ, ὁ, *judge.*
κροκόδειλος, ου, ὁ, *crocodile.*
κρύπτω, κρύψω, etc., *conceal.*
κτείνω, κτενῶ, ἔκτεινα, *kill.*
κτῆμα, ατος, τό, *possession.*
κτῆνος, ους, τό, *chattel.* In plur., *cattle.*
κύκλος, ου, ὁ, *circle.* κύκλῳ αὐτοῖς, *round about them.*
κυλινδέω, *roll* (of stones).
Κῦρος, ου, ὁ, *Cyrus.*
κωλύω, κωλύσω, etc., *hinder.*
κωμάρχης, ου, ὁ, *village-chief.*
κώμη, ης, ἡ, *village.*

Λ

λαβών, οῦσα, όν, 2 aor. part. act. of λαμβάνω, *having taken, seized.*
λάθρᾳ, adv., *secretly.*
λαμβάνω, λήψομαι, ἔλαβον, εἴληφα, εἴλημμαι, ἐλήφθην, *take, seize.*
λαμπρός, ά, όν, *brilliant.*
λέαινα, ης, ἡ, *lioness.*
λέγω, λέξω, ἔλεξα, λέλεγμαι, ἐλέχθην, *say.*
λείπω, λείψω, ἔλιπον, λέλοιπα, λέλειμμαι, ἐλείφθην, *leave.*
λέων, οντος, ὁ, *lion.*
ληφθείς, εῖσα, έν, aor. part. pass. of λαμβάνω, *having been taken.*
λίθος, ου, ὁ, *stone.*
λιμήν, ένος, ὁ, *harbor.*
λιμός, οῦ, ὁ, *hunger.*
λόγος, ου, ὁ, *word, speech, report.*
λοχαγός, οῦ, ὁ, *captain.*
λύκος, ου, ὁ, *wolf.*

M

μαθητής, οῦ, ὁ, *scholar.*
μαθών, οῦσα, όν, 2 aor. part. of μανθάνω, *having learned, heard.*
μακρός, ά, όν, *long, high.*
μάλιστα, superl. adv., *most, especially.*
μανθάνω, μαθήσομαι, ἔμαθον, μεμάθηκα, *learn, find out.*
μαντεία, ας, ἡ, *oracle.*
μάντις, εως, ὁ, *prophet, seer.*
μάρσιπος, ου, ὁ, *bag.*
μάστιξ, ιγος, ἡ, *whip.*
μαστός, οῦ, ὁ, *breast.*
μάχαιρα, ας, ἡ, *sabre.*
μάχη, ης, ἡ, *battle.*
μάχομαι, irreg. vb., *fight.*
μέγας, μεγάλη, μέγα, *great, large.* **75.**
μέγιστος, η, ον, superl. of μέγας, *largest, very large.* **91.**
μείζων, ον, compar. of μέγας, *larger.* **91.**
μέλας, αινα, αν, *black.* **71.**
μέλλω, μελλήσω, ἐμέλλησα, *be about.*

μένω, *μενῶ, ἔμεινα, μεμένηκα, remain.*
μέρος, *ους, τό, part.*
μέσος, *η, ον, middle.*
μεστός, *ή, όν, full.* **262**, 1.
μετα-πέμπω, *send after.* Mid., *send for, summon.*
μετ-επέμψατο, 3 sing. aor. mid. of *μετα-πέμπω, he sent for, summoned.*
μέχρι, improp. prep. w. gen., *up to, until.*
μέχρι, conj., *until.*
μή, *not.* **325** and **384**, 2.
μήν, particle, *in truth. καὶ μήν, and yet.*
μήτηρ, *μητρός, ἡ, mother.* **51.**
μηχανή, *ῆς, ἡ, scheme, stratagem.*
μία, fem. of **εἷς**, *one.* **93.**
μισέω, *μισήσω*, etc., *hate.*
μοῖρα, *ας, ἡ, fate.*
μόνον, adv., *only.*
μόνος, *η, ον, alone.*
μοῦσα, *ης, ἡ, muse.*
Μυκάλη, *ης, ἡ, Mycale.*
μύριος, *α, ον, countless.* Plur., *countless, ten thousand.*
μῦς, *μυός, ὁ, mouse.*

N

ναυαγέω, *ήσω*, etc., *suffer shipwreck.*
ναυμαχία, *ας, ἡ, naval batttle.*
ναῦν, acc. sing. of *ναῦς, ship.* **50**, 4.
ναῦς, *νεώς, ἡ, ship.* **50**, 4.
ναύτης, *ου, ὁ, sailor.*
ναυτικός, *ή, ον, naval. τὸ ναυτικόν, navy.*
νεανίας, *ου, ὁ, youth, young man.*
Νεῖλος, *ου, ὁ, the Nile.*
νέμω, *νεμῶ*, etc., *award, bestow.*
νέος, *α, ον, new, young.*
νεφέλη, *ης, ἡ, cloud.*
νέω, irreg. vb., *swim.*
νεώς, gen. sing. of *ναῦς, of a ship.* **50**, 4.
νηΐ, dat. sing. of *ναῦς, to a ship.* **50**, 4.
νῆσος, *ου, ἡ, island.*
νικάω, *νικήσω*, etc., *conquer.*
νίκη, *ης, ἡ, victory.*
νομίζω, *νομιῶ*, etc., *think.* **148**, 2.
νόμος, *ου, ὁ, law.*
νυκτερεύω, *νυκτερεύσω*, etc. *spend the night.*
νῦν, adv., *now.*
νύξ, *νυκτός, ἡ, night.*
νῶτον, *ου, τό, back.*

Ξ

ξενία, *ας, ἡ, friendship, guest friendship.*
ξένος, *ου, ὁ, stranger, guest friend.*
Ξενοφῶν, *ῶντος, ὁ, Xenophon.*
ξίφος, *ους, τό, sword.*

O

ὁ, ἡ, τό, def. art., *the.* **οἱ** *σὺν αὐτῷ, his followers.*

ὅδε, ἥδε, τόδε, *this, the following.*
ὁδός, οῦ, ἡ, *road, journey.*
ὅθεν, adv., *whence.*
οἶδα, irreg. vb., *I know.* **200.**
οἴκαδε, adv., *homeward.*
οἰκέω, οἰκήσω, etc., *dwell, inhabit.*
οἰκία, ας, ἡ, *house.*
οἶνος, ου, ὁ, *wine.*
οἴομαι, irreg. vb., *think.*
οἴχομαι, irreg. vb., *be gone.*
ὄκνος, ου, ὁ, *fear, reluctance.*
ὀλίγος, η, ον, *small.* Plur., *few.*
ὅμορος, ον, *adjacent, neighboring.*
ὄνομα, ατος, τό, *name.*
ὀξύς, εῖα, ύ, *sharp, sour.*
ὄπισθεν, adv., *behind.* **ἐκ τοῦ** ὄπισθεν, *from the rear.*
ὀπισθοφύλαξ, ακος, ὁ, *rear guard.*
ὁπλίζω, ὁπλίσω, etc., *arm.*
ὁπλίτης, ου, ὁ, *heavy-armed soldier.*
ὅπλον, ου, τό, *implement.* Plur., *arms.*
ὅπου, adv., *where.*
ὁρᾷς, 2 sing. pres. indic. of ὁράω, *you see.*
ὁράω, irreg. vb., *see.*
ὀργίζω, ὀργίσω, etc., *make angry.*
ὀργυιά, ᾶς, ἡ, *fathom.* (Nearly 6 feet.)
ὄρθιος, α, ον, *straight, steep.*
ὁρίζω, ὁριῶ, etc., *bound.* **148**, 2.
ὁρμάω, ὁρμήσω, etc., *start.* Mid. and pass., *set out, rush forth.*
ὄρνις, ιθος, ὁ, ἡ, *bird.*
ὄρος, ους, τό, *mountain.*
ὁρῶσι, 3 plur. pres. indic. of ὁράω, *they see.*
ὅς, ἥ, ὅ, rel. pron., *who, which.*
ὄσπριον, ου, τὸ, *pulse.* Plur., *beans.*
ὅτι, conj., *that.*
οὐ, οὐκ, οὐχ, *not.* **9**, 3. **οὐ μόνον**, *not only.*
οὐδαμῶς, adv., *by no means, not at all.*
οὐδέ, *nor, and not, not even.*
οὐδείς, οὐδεμία, οὐδέν, *no one, none.* **94.**
οὐδέποτε, adv., *never.*
οὖν, conj., *therefore.*
οὐρανός, οῦ, ὁ, *heaven.*
οὔτε, *nor, and not.* **οὔτε** . . . οὔτε, *neither . . . nor.*
οὗτος, αὕτη, τοῦτο, *this.*
οὕτω, οὕτως, *thus, so.* **9**, 3.
ὀφθαλμός, οῦ, ὁ, *eye.*
ὄχθη, ης, ἡ, *bank, bluff.*
ὄψονται, 3 plur. fut. ind. of irreg. vb. ὁράω, *they will see.*

Π

παιανίζω, παιανίσω, etc., *raise the war song.*
παιδεύω, παιδεύσω, etc., *train, educate.*
παιδίον, ου, τό, *little child.*
παιδίσκη, ης, ἡ, *young girl.*
παῖς, παιδός, ὁ, ἡ, *boy, girl, child* **54.**

παίω, παίσω, etc., *strike.*

πάλιν, adv., *back, again.*

πανταχοῦ, adv., *everywhere.*

παρά, prep. w. gen., dat., and acc. With gen., *from;* with dat., *beside, with, by;* with acc., *towards, past.*

παρα-βάλλω, *cast before.*

παράδεισος, ου, ὁ, *park.*

παρα-τάττω, *draw up in line.*

παρα-τεταγμένος, perf. part. pass. of παρα-τάττω, *drawn up in line.*

παρ-έβαλεν, 3 sing. 2 aor. ind. of παρα-βάλλω, *he cast before.*

πάρ-ειμι, *pass by.* **198.**

παρθένος, ου, ἡ, *maiden.*

παρ-ιέναι, pres. inf. of πάρ-ειμι, *to pass by.* **198.**

Πάρις, ιδος, ὁ, *Paris.*

πάροδος, ου, ἡ, *passage.*

πᾶς, πᾶσα, πᾶν, *all, whole.*

πάσχω, irreg. vb., *suffer, experience.*

πατρίς, ίδος, ἡ, *native land.*

παύω, παύσω, etc., *put a stop to.* Mid., *stop, cease.*

πεδίον, ου, τό, *plain.*

πεζός, ή, όν, *on foot.* Noun, πεζός, οῦ, ὁ, *foot soldier.*

πείθω, πείσω, etc., *persuade.* Perf., πέπεισμαι, *I am convinced, persuaded,* **306**, 2.

πειράομαι, πειράσομαι, etc., *try.*

πελταστής, οῦ, ὁ, *targeteer.*

πέμπτος, η, ον, *fifth.*

πέμπω, πέμψω, ἔπεμψα, πέπομφα, πέπεμμαι, ἐπέμφθην, *send.*

πέραν, adv. w. gen., *across, beyond.*

περάω, περάσω, etc., *to cross.*

περι-βάλλω, *embrace.*

περι-ειλέω, *to wrap round.*

περι-πλέκω, πλέξω, etc., *twine round.* Mid., *cling to, embrace.*

περι-φέρω, *carry round.*

Πέρσης, ου, ὁ, *a Persian.*

Περσικός, ή, όν, *Persian.*

πέτρα, ας, ἡ, *rock, cliff.*

πηγή, ῆς, ἡ, *fountain, source.*

πῆμα, ατος, τό, *suffering.*

πικρός, ά, όν, *bitter.*

πίνω, irreg. vb., *drink.*

πιστεύω, πιστεύσω, etc., *trust.*

πιστός, ή, όν, *trustworthy.*

Πλαταιαί, ῶν, αἱ, *Plataea.*

πλέθρον, ου, τό, *a plethron.* (Nearly 100 feet.)

πλέον, comp. adv., *more.*

πλήρης, ες, *full.*

πλοῖον, ου, τό, *boat.*

πλοῦς, πλοῦ, ὁ, *sailing.* **37.**

πλούσιος, α, ον, *rich.*

πνέω, irreg. vb., *blow.*

πόδας, acc. pl. of πούς, *feet.*

ποιέω, ποιήσω, etc., *do, make.*

ποιητής, οῦ, ὁ, *poet.*

ποιμήν, ένος, ὁ, *shepherd.*

πολεμέω, πολεμήσω, etc., *make war.*

πολεμικός, ή, όν, *warlike.*

πολέμιος, α, ον, *hostile.* Noun, πολέμιος, ου, ὁ, *an enemy.*

πόλεμος, ου, ὁ, *war.*

πολίτης, ου, ὁ, *citizen.*

πολλάκις, adv., *often.*

πολύς, πολλή, πολύ, *much, many.* **76.**

πολυτελής, ές, *costly.*

πονηρός, ά, όν, *base, troublesome.*

πόνος, ου, ὁ, *toil.*

πόντος, ου, ὁ, *sea.*

πορεύεσθαι, pres. inf. pass. of πορεύω, *to march, advance.*

πορεύονται, 3 plur. pres. ind. pass. of πορεύω, *they march, advance.*

πορεύω, πορεύσω, etc., *make go.* Pass., *march, advance.*

πορθέω, πορθήσω, etc., *plunder.*

πόρος, ου, ὁ, *ford.*

ποταμός, οῦ, ὁ, *river.*

ποτέ, adv., *once on a time.*

πούς, ποδός, ὁ, *foot.*

πρᾶγμα, ατος, τό, *deed, affair.*

πρᾶξις, εως, ἡ, *undertaking.*

πράττω, πράξω, etc., *do, act.*

πρέπει, impers. vb., *it is becoming.* πρέπει αὐτῷ κοιμᾶσθαι, *he looks graceful when asleep.*

πρέσβυς, εως, adj., *old, reverend.*

πρεσβευτής, οῦ, ὁ, *ambassador.*

Πρίαμος, ου, ὁ, *Priam.*

πρό, prep. w. gen., *in front of.*

προδρομή, ῆς, ἡ, *sally, running forth.*

πρός, prep. w. gen., dat., and acc. With gen., *towards;* w. dat., *near;* w. acc., *towards, against, near.*

προσ-βάλλω, *hurl against, make an attack.*

προσ-έρχομαι, *approach, advance.*

προσ-τρέχω, irreg. vb., *run to.*

προ-τρέχω, irreg. vb., *run forward.*

πρῶτος, η, ον, *first.* πρῶτον, adv., *at first.*

πυθόμενος, 2 aor. part. of πυνθάνομαι, *having heard, learned.*

πυνθάνομαι, irreg. vb., *hear, learn.*

πῦρ, πυρός, τό, *fire.*

πύργος, ου, ὁ, *tower.*

πυρός, οῦ, ὁ, *wheat.*

πωλέω, πωλήσω, ἐπωλήθην, *sell, offer for sale.*

πῶλος, ου, ὁ, *colt.*

πωλῶν, pres. part. of **πωλέω**, *offering for sale.*

Ρ

ῥήτωρ, ορος, ὁ, *orator.*

ῥίπτω, ῥίψω, etc., *throw, hurl.*

Σ

σακίον, ου, τό, *bag.*

σαλπικτής, οῦ, ὁ, *trumpeter.*

Σαρωνικός, ή, όν, *the Saronic (gulf).*
σατράπης, ου, ὁ, *satrap, viceroy.*
σαφής, ές, *clear, certain.*
σείω, σείσω, etc., *shake.* **140.**
σελήνη, ης, ἡ, *moon.*
σημαίνω, σημανῶ, etc., *signal, signify.*
Σικελία, ας, ἡ, *Sicily.*
σῖτος, ου, ὁ, *grain, food.*
σκευή, ῆς, ἡ, *dress, equipment.*
σκηνή, ῆς, ἡ, *tent.*
σκιά, ᾶς, ἡ, *shadow.*
σκότος, ους, τό, *darkness.*
Σκυθηνοί, ῶν, οἱ, *the Scytheni.*
σός, σή, σόν, *thy, your.*
σοφία, ας, ἡ, *wisdom.*
Σπαρτιάτης, ου, ὁ, *a Spartan.*
σπουδάζω, σπουδάσομαι, ἐσπούδασα, etc., *be in a hurry.*
στάδιον, ου, τό, *stadium.* (About 590 feet.)
στέλλω, στελῶ, etc., *send.* **150.**
στενός, ή, όν, *narrow.*
στράτευμα, ατος, τό, *army.*
στρατεύω, στρατεύσω, etc., *make an expedition.*
στρατηγός, οῦ, ὁ, *general.*
στρατιά, ᾶς, ἡ, *army.*
στρατιώτης, ου, ὁ, *soldier.*
στρατοπεδεύω, στρατοπεδεύσω, etc., *to encamp.* Middle with same meaning.
στρατόπεδον, ου, τό, *camp.*
στρατός, οῦ, ὁ, *army.*
στρέφω, στρέψω, ἔστρεψα, ἔστροφα, ἔστραμμαι, ἐστράφην, *turn.*
συγγενής, ές, *akin.* Plur., οἱ συγγενεῖς, *kinsmen.*
συλ-λέγω, λέξω, ἔλεξα, εἴλοχα, εἴλεγμαι, ἐλέγην, *collect.*
συμ-βουλεύω, *plan with.* Mid., *deliberate.*
σύμμαχος, ου, ὁ, *ally.*
σύν, prep. w. dat., *with, with the help of.*
συν-ακολουθέω, ἀκολουθήσω, etc., *accompany.*
συν-αντάω, ἀντήσω, etc., *meet.* **235**, 6.
συν-ειλεγμένος, perf. part. pass. of συλ-λέγω, *having assembled.*
συν-ελθόντες, nom. plur. 2 aor. part. of συν-έρχομαι, *having come together.*
σφάλλω, σφαλῶ, ἔσφηλα, ἔσφαλμαι, ἐσφάλην, *balk, cheat, deceive.*
σφενδονάω, σφενδονήσω, etc., *use the sling.*
σφραγίς, ῖδος, ἡ, *signet-ring.*
σχεδόν, adv., *nearly, almost.*
σχολαστικός, οῦ, ὁ, *simpleton.*
σῴζω, σώσω, etc., *save, rescue.*
Σωκράτης, ους, ὁ, *Socrates.*
σώφρων, ον, *prudent, discreet.*

T

ταμίας, ου, ὁ, *steward.*

τἀναντία, crasis for τὰ ἐναντία, *the opposite.* τἀναντία στρέψαντες, *having faced about,* **10.**

τάξις, εως, ἡ, *arrangement, line of battle.*

Τάοχοι, ων, οἱ, *the Taochians.*

τάττω, τάξω, etc., *arrange, draw up in line.*

Ταυρικός, ή, όν, *Tauric.*

Ταῦροι, ων, οἱ, *the Taurians.*

ταῦρος, ου, ὁ, *bull.*

τάχα, adv., *quickly, soon.*

τάχιστα, superl. adv., *very quickly.* ὡς τάχιστα, *as soon as possible.* **274**, 1.

τέ, *and.* τε . . . καί, *both . . . and.*

τεῖχος, ους, τό, *wall.*

τέκνον, ου, τό, *child.*

τελευτᾷ, 3 sing. pres. ind. act. of τελευτάω, *he dies.*

τελευταῖος, α, ον, *last.*

τελευτάω, τελευτήσω, etc., *finish, die.*

τελευτή, ῆς, ἡ, *end, death.*

τέλος, ους, τό, *end, result.* As adv., *at last.*

τέμνω, τεμῶ, ἔταμον, τέτμηκα, τέτμημαι, ἐτμήθην, *cut.*

τέχνη, ης, ἡ, *art, craft.*

Τίγρης, ητος, ὁ, *the Tigris.*

τιμάω, τιμήσω, etc., *honor.*

τιμή, ῆς, ἡ, *honor, value.*

τίμιος, α, ον, *precious, valuable.*

τίς, τί, interrog. pron., *who? which? what?*

τὶς, τὶ, indef. pron., *a certain, some, any.*

τόξευμα, ατος, τό, *arrow.*

τοξεύω, τοξεύσω, etc., *shoot with the bow.*

τοξότης, ου, ὁ, *bowman.*

τόπος, ου, ὁ, *place, region.*

τότε, adv., *then.*

τράπεζα, ης, ἡ, *table.*

Τραπεζοῦς, οῦντος, ἡ, *Trapezus.*

τραχύς, εῖα, ύ, *rough.*

τρεῖς, τρία, *three.* **93.**

τρέφω, θρέψω, ἔθρεψα, τέθραμμαι, ἐτράφην, *feed, rear.*

τριάκοντα, indeclin., *thirty.*

τρίβω, τρίψω, etc., *rub.*

Τροία, ας, ἡ, *Troy.*

τροφή, ῆς, ἡ, *food, subsistence.* In plur., *food, fodder.*

τρώγω, τρώξομαι, ἔτραγον, *chew, eat.*

Τρῶες, Τρώων, οἱ, *the Trojans.*

τύχη, ης, ἡ, *fortune, luck.*

Υ

ὕδωρ, ατος, τό, *water.* **54.**

υἱός, οῦ, ὁ, *son.* **54.**

ὑπ-ελθών, 2 aor. part. of ὑπ-έρχομαι, *having gone under.*

ὑπέρ, prep. with gen. and acc.

With gen., *above, over, for the sake of*; with acc., *above, more than.*

ὑπερ-έρχομαι, *go beyond, pass.*

ὑπερ-έχω, *be above, overhang.*

ὑπερ-ῆλθον, 3 plur. 2 aor. ind. of ὑπερ-έρχομαι, *they passed.*

ὑπ-έρχομαι, *go under.*

ὑπό, prep. w. gen., dat., and acc. With gen., *on account of*; with dat., *under*; with acc., *under.*

ὑποζύγιον, ου, τό, *beast of burden.*

ὑπο-μένω, *stay behind.*

ὑστεραῖος, α, ον, *following.* τῇ ὑστεραίᾳ, *on the next day.*

ὕστερον, adv., *afterwards.*

ὕστερος, α, ον, *later, next.*

Φ

φαίνω, φανῶ, etc., *show.* Mid., *appear.*

φάλαγξ, γγος, ἡ, *line of battle, phalanx.*

φέρω, irreg. vb., *bear, carry, bring.* Pass., *rush, be hurled.*

φεύγω, φεύξομαι, ἔφυγον, πέφευγα, *flee, take flight.*

φημί, φήσω, ἔφησα, *say.*

φθείρεται, 3 sing. pres. ind. pass. of φθείρω, *is corrupted, destroyed.*

φθείρω, φθερῶ, etc., *corrupt, destroy.*

φθονερός, ά, όν, *jealous.*

φιάλη, ης, ἡ, *drinking cup.*

φιλέω, φιλήσω, etc., *love.*

φίλος, η, ον, *friendly.* Noun, ὁ φίλος, *friend.*

φιλοφρονέομαι, *be well disposed.*

φοβερός, ά, όν, *fearful.*

φοβέω, φοβήσω, etc., *frighten.* Pass., *be afraid.*

φόβος, ου, ὁ, *fear.*

φονεύς, έως, ὁ, *murderer.*

φονεύω, φονεύσω, etc., *murder.*

φρύγανα, ων, τά, *fagots.*

Φρυγία, ας, ἡ, *Phrygia.*

φυγόντες, nom. plur. 2 aor. part. of φεύγω, *having fled.*

φύλαξ, ακος, ὁ, *guard.*

φυλάττω, φυλάξω, etc., *guard, watch.*

φύλλον, ου, τό, *leaf.*

Χ

χαίρω, irreg. vb., *rejoice.*

χαλεπός, ή, όν, *hard, grievous.*

χάρις, ιτος, ἡ, *grace, gratitude, thanks.* **44**, 1.

χειμών, ῶνος, ὁ, *winter, storm.*

χείρων, ον, compar. adj., *worse.* **91.**

Χερρόνησος, ου, ἡ, *the Chersonese.*

χιτών, ῶνος, ὁ, *tunic, undergarment.*

χιών, όνος, ἡ, *snow.*

χράομαι, **χρήσομαι**, etc., *use.* **241**, 1.

χρῆμα, ατος, τό, *thing.* Plur., *money.*

χρόνος, ου, ὁ, *time.*

χρυσοῦς, ῆ, οῦν, *golden, of gold.* **60.**

χωρίον, ου, τό, *place, fortress.*

Ψ

ψεῦδος, ους, τό, *lie.*

ψεύδω, ψεύσω, etc., *deceive.* Mid., *be deceitful, lie.*

ψυχή, ῆς, ἡ, *soul.*

Ω

ὦ, exclamation, *O.*

ὧδε, adv., *thus, as follows.*

ᾠήθη, 3 sing. aor. indic. of οἴομαι, *he thought.*

ὡς, conj., *as.* **ὡς τάχιστα**, *as quickly as possible.* **274, 1.**

ὡσαύτως, adv., *in like manner.*

ὥστε, conj., *and so, so that.* **343.**

ὠφελέω, ὠφελήσω, etc., *help, assist.*